PROLONGEZ
VOTRE
PLAISIR

LES ÉDITIONS QUEBECOR
une division de Groupe Quebecor inc.
4435, boul. des Grandes Prairies
Montréal (Québec)
H1R 3N4

Distribution: Québec Livres

© 1990, pour la réimpression
© 1986, Les Éditions Quebecor
Dépôt légal, 1er trimestre 1986

Bibliothèque nationale du Québec
Bibliothèque nationale du Canada
ISBN 2-89089-351-0

Conception et réalisation graphique
de la page couverture: Bernard Lamy
Photo de la couverture: Pierre Dionne

Impression: Imprimerie L'Éclaireur

ROBERT ZEISS, Ph.D. ET ANTONETTE ZEISS, Ph.D.

PROLONGEZ VOTRE PLAISIR

Les Éditions Québecor

Prolongez votre plaisir

Méthodes favorisant le contrôle éjaculatoire et la sexualité chez le couple

Dr Robert A. Zeiss, Ph.D. et Dr Antonette Zeiss, Ph.D.
Département de psychologie
Université Stanford

Adaptation française et expérimentation

Sylvain Proulx, M.A. et Dr Gilles Trudel, D.Ps.
Département de psychologie
Université du Québec à Montréal

LES AUTEURS

Gilles Trudel a obtenu un doctorat en psychologie à l'U-
niversité de Montréal. Il est membre de la corporation
professionnelle des psychologues du Québec, de l'Association for Advancement of Behavior Therapy et de
l'Association scientifique pour la modification du comportement. Auteur de volumes et de nombreux articles
parus dans des revues scientifiques francophones et an-
glophones, il est actuellement professeur de thérapie behaviorale au département de psychologie de l'Université
du Québec à Montréal et psychologue à l'Hôpital Louis-
H.-Lafontaine. Il dirige un programme de recherches
dans le domaine des dysfonctions sexuelles.

Sylvain Proulx a obtenu une maîtrise en psychologie à
l'Université du Québec à Montréal. Membre de la Corporation professionnelle des psychologues du Québec et
de l'Association scientifique pour la modification du
comportement, il enseigne au Cégep de Longueuil et
s'intéresse au traitement des dysfonctions sexuelles. Il
est membre fondateur du Centre de recherches appli-
quées en sciences humaines.

Table des matières

Préface

C e livre sur la sexualité n'est pas, comme dans la plupart des cas, un simple exposé de principes ou de méthodes. Il est également la résultante d'une recherche entreprise il y a quelques années au Laboratoire d'évaluation et de modification du comportement de l'Université du Québec à Montréal. Cette recherche fut dirigée par le docteur Gilles Trudel, psychologue, professeur au département de psychologie de l'UQAM et consultant à l'hôpital Louis-H. Lafontaine. Sylvain Proulx et Diane Roy, étudiants en psychologie, ont été les principaux artisans de la mise sur pied et de la concrétisation de cette recherche.

L'objectif principal de cette étude était de déterminer quel est l'effet d'un traitement sexuel pour l'éjaculation précoce qui serait basé sur la bibliothérapie. La bibliothérapie est une procédure d'intervention qui consiste à remettre au client un texte lui expliquant les méthodes qu'il devra appliquer pour régler certains problèmes de comportement. Quant à l'éjaculation précoce, est-il nécessaire de mentionner ici qu'il s'agit d'un problème qui consiste à éjaculer trop rapidement lors des activités sexuelles? Selon certaines statistiques, il s'agirait d'un problème très fréquent. Peut-être même qu'une majorité d'hommes (selon certaines statistiques) éprouveraient de sérieuses difficultés de contrôle éjaculatoire. Cependant, sur le plan thérapeutique, plusieurs études indiquent qu'il s'agit d'un problème mineur, très facile à régler.

Dans la présente recherche, quatre groupes de sujets furent étudiés. Un premier groupe ne recevait que le texte, en tout point identique à celui du présent volume.

Un second groupe de sujets recevait le même texte, mais, en plus, chacun avait un bref entretien téléphonique hebdomadaire avec un thérapeute.

Un troisième groupe de sujets rencontrait un thérapeute masculin et féminin à chaque semaine. On leur expliquait alors les procédures à suivre et on en discutait avec eux.

Enfin, un dernier groupe ne recevait aucun traitement.

Tous les sujets acceptés étaient des hommes présentant un problème sérieux d'éjaculation précoce. Une des conditions pour participer à cette expérience établissait que les sujets devaient collaborer étroitement avec leur conjointe ou leur partenaire habituelle.

Les résultats de la présente étude tendent à indiquer que le traitement proposé de l'éjaculation précoce s'avère beaucoup plus efficace que l'absence de traitement. En outre, on n'a pas noté de différence entre les groupes de traitement. Ceci indique que la seule lecture du présent volume peut, si les instructions données sont bien suivies, conduire à d'excellents résultats. En somme, il s'agirait d'un traitement extrêmement simple et peu coûteux de l'éjaculation précoce.

D'autres chercheurs, dont les auteurs américains du présent volume (Zeiss et Zeiss), ont souligné qu'il peut être utile que le lecteur puisse discuter de temps en temps avec un consultant spécialisé en sexualité ou avec une personne qui peut contribuer à maintenir sa motivation. Nous pensons, quant à nous, que la seule lecture de ce volume peut s'avérer suffisante à la condition que vous et votre partenaire soyez vraiment très motivés. Rien ne vous empêche cependant de recourir, au besoin, à une aide supplémentaire si vous le jugez à propos.

Nous tenons à remercier ici monsieur Robert Proulx, professeur au département de psychologie de l'Université du Québec à Montréal pour l'excellence de sa collaboration en ce qui concerne la méthodologie de l'analyse des résultats.

Enfin, il convient de mentionner que cette recherche a été rendue possible en bonne partie grâce à une subvention accordée au docteur Gilles Trudel par le Fonds institutionnel de recherche de l'Université du Québec à Montréal.

Chapitre 1

PROLONGEZ VOTRE PLAISIR: UN GUIDE VISANT L'AUGMENTATION DU CONTRÔLE ÉJACULATOIRE

C e livre propose aux couples un programme d'une durée de six à douze semaines qu'ils peuvent suivre eux-mêmes pour surmonter le problème de l'éjaculation précoce ou trop rapide. L'éjaculation précoce constitue l'une des difficultés sexuelles les plus fréquentes. Masters et Johnson (1970) estiment que cette question affecte des centaines de milliers de couples. Cependant l'éjaculation précoce semble simple à surmonter lorsque le problème est traité de façon appropriée. Depuis les travaux de pionniers effectués par Masters et Johnson, plusieurs études qu'on retrouve dans la littérature médicale et psychologique montrent l'efficacité de cette méthode. Ces études réfèrent toutes aux méthodes suggérées par Masters et Johnson ou aux travaux généralement moins connus de Semans (1956).

En 1960, et jusqu'au début de 1970, le traitement de l'éjaculation précoce — et des autres problèmes sexuels — n'était pas facilement accessible et il coûtait généralement très cher. Au cours des années récentes, la littérature scientifique traitant de la sexualité s'est développée et de nombreux thérapeutes ont été formés aux méthodes de traitements des problèmes sexuels. Aussi, de plus en plus de cliniques ont commencé à offrir des traitements efficaces. Malgré cela, il n'est pas toujours facile de trouver un thérapeute expérimenté dans le traitement des problèmes sexuels et les coûts demeurent plus élevés que ce que plusieurs couples peuvent se permettre de payer.

La marche à suivre pour le traitement de l'éjaculation précoce est bien connue et est clairement décrite dans la littérature scientifique. Nous avons la conviction que la façon de procéder est simple, facilement standardisable et communicable. En conséquence, nous sommes d'avis que, avec des instructions appropriées, plusieurs couples réussiront à améliorer leur contrôle éjaculatoire sans qu'ils aient à faire intervenir un(e) thérapeute. Le but principal de ce livre est d'informer les couples qui veulent améliorer leur contrôle éjaculatoire, sans recourir aux services coûteux d'un thérapeute professionnel, soit qu'ils préfèrent s'en abstenir, soit qu'ils soient dans l'impossibilité d'y avoir accès. De plus, ce livre servira de guide aux professionnels désireux d'apprendre à traiter les problèmes sexuels.

Chapitre 2

QU'EST-CE QUE L'ÉJACULATION PRÉCOCE?

B ien que le traitement des problèmes reliés au contrôle éjaculatoire se soit développé et révélé efficace, la communauté scientifique n'a pas encore été en mesure de définir clairement le terme «éjaculation précoce». Les thérapeutes en sexualité ainsi que les chercheurs dans ce domaine ont proposé un grand nombre de définitions. Certaines sont basées sur la durée de pénétration du pénis dans le vagin juste avant l'éjaculation (variant habituellement de quelques secondes ou moins jusqu'à 30 à 60 secondes). D'autres reposent sur le nombre de secousses effectuées avant que le partenaire n'atteigne l'orgasme. Évitant de ne considérer que l'aspect temps, Masters et Johnson se réfèrent à la satisfaction de la femme pour définir le terme. Selon leur définition, un couple aux prises avec un problème d'éjaculation précoce est celui dont la femme ne peut atteindre l'orgasme dans 50 p. cent ou plus des cas lors de relations coïtales, et que cette situation est due à la rapidité d'éjaculation.

Tandis que Masters et Johnson refusent de se centrer sur l'aspect temps, ils soulèvent du même coup la difficulté de savoir si la femme ne peut atteindre d'orgasme en raison d'une éjaculation précoce de son partenaire ou en raison d'un problème d'un autre ordre.

Compte tenu de l'ambiguïté que présentent ces quelques définitions, nous préférons celle-ci, moins spécifique: l'éjaculation précoce survient lorsque l'homme éjacule régulièrement avant que sa partenaire ne le désire.

Malgré la souplesse de cette définition, elle nécessite certaines précisions à cause des attentes irréalistes en regard de la performance que manifestent certains couples. Un couple dont la durée de pénétration (dès l'entrée du pénis dans le vagin jusqu'à l'éjaculation) se situe généralement au delà de 3 ou 4 minutes ne devrait pas être considéré comme ayant un sérieux problème d'éjaculation précoce. Cependant, si les couples dont l'homme éprouve un faible contrôle d'éjaculation désirent augmenter la durée de leur relation sexuelle, ils auront avantage à utiliser les techniques décrites dans ce livre.

Le problème d'éjaculation précoce est évident dans le cas de celui qui éjacule régulièrement avant, pendant ou quelques secondes après l'insertion du pénis dans le vagin. En revanche, il s'avère parfois difficile d'identifier le problème et la définition devrait alors être laissée au couple. Personne ne peut déterminer la durée d'une relation sexuelle. Advenant qu'un couple croit avoir un problème avec le contrôle éjaculatoire et qu'il en soit bien conscient, il devient alors tout indiqué d'y remédier s'il veut jouir pleinement de l'acte sexuel.

Quelques exemples devraient certes aider à clarifier la définition de l'éjaculation précoce:

Jean et Diane ont toujours été très satisfaits de leur vie sexuelle. Ils avaient des relations environ deux fois par semaine et ils étaient généralement très excités. Ils n'ont jamais vraiment remarqué la durée de la pénétration lors de l'acte sexuel, mais ils l'estiment à environ 4 à 5 minutes. Cela permettait généralement à Diane d'atteindre un orgasme. Récemment, Diane donna naissance à un premier enfant. Pendant un mois, ils cessèrent d'avoir des relations sexuelles. Lorsqu'ils reprirent leurs activités sexuelles, la fréquence de celles-ci baissa à une fois par semaine. Dans ces conditions, Jean éjaculait très rapidement.

Ce couple ne devrait pas être considéré comme ayant un problème d'éjaculation précoce. La plupart des hommes, après une période sans activité sexuelle, deviennent très excités et éjaculent rapidement jusqu'à la reprise de relations de façon régulière. Parallèlement, l'homme ressent davantage de pression et répond sexuellement plus vite à mesure que décroît la fréquence de ses activités sexuelles. Jean verra probablement la reprise du contrôle de son éjaculation dès le retour à une fréquence de relations sexuelles satisfaisante pour les deux.

Philippe, âgé de 32 ans, s'est récemment séparé de sa femme après huit ans de vie commune. Il a toujours eu un bon contrôle de son éjaculation mais, après quatre mois de séparation d'avec sa femme, il n'a plus aucun contrôle lorsqu'il fait l'amour avec sa nouvelle partenaire Linda. Philippe était très excité et éjaculait environ 10 secondes après le début de l'activité sexuelle sans que Linda n'atteigne d'orgasme.

Dans cette situation, Philippe ne devrait pas être considéré comme un éjaculateur précoce. Tout homme ayant une relation sexuelle avec une nouvelle partenaire devient généralement très excité tout en éprouvant une certaine difficulté à contrôler son éjaculation. La reprise du contrôle éjaculatoire surviendra à la suite d'une plus grande connaissance mutuelle. Il est également à noter que l'absence d'activité sexuelle pendant une longue période contribue à ce manque de contrôle.

Voyons deux issues possibles au cas de Philippe.

1. Philippe et Linda sont des gens sensés et ils reconnaissent que la plupart des hommes éprouvent de telles difficultés dans les mêmes circonstances. Philippe ne s'en trouve pas affecté et sa partenaire est heureuse de le stimuler à ce point. Après avoir éjaculé, Philippe ne craint pas de stimuler manuellement Linda jusqu'à ce qu'elle ait un orgasme. Après quelques expériences de ce type, Philippe reprend graduellement le contrôle de son éjaculation et Linda devient très satisfaite de leurs relations sexuelles, bien que Philippe puisse encore, à l'occasion, éjaculer rapidement lorsqu'il est très excité.

Il est évident que, dans ce cas, Philippe et Linda n'ont pas un problème d'éjaculation précoce. Voyons comment pourrait aussi se terminer l'histoire.

2. Après avoir éjaculé rapidement, Philippe croit qu'il a raté son coup et se perçoit comme un piètre amant tout en s'excusant auprès de Linda. Elle lui répond de ne pas s'inquiéter, tout en se demandant ce qui arrive avec ce nouveau partenaire, car son premier mari était beaucoup mieux que lui. Lorsqu'ils ont fait l'amour par la suite, ils étaient tous deux très nerveux et se demandaient si Philippe pourrait satisfaire Linda. Il éjacu-

lait toujours très rapidement. La tension et l'anxiété augmentaient à chaque fois, ce qui n'aidait guère Philippe à reprendre son contrôle éjaculatoire. Linda et Philippe s'aimaient et ils se sont mariés, croyant que la situation s'améliorerait. Mais cela ne s'est pas produit. Au bout d'un certain temps, d'autres aspects de leur relation ont été affectés.

Dans cet exemple, Philippe et Linda se comportent au début comme dans l'histoire précédente, tout en finissant par éprouver un vrai problème d'éjaculation précoce qui affecte d'autres aspects de leur relation. C'est dans un cas comme celui-là qu'un couple doit chercher de l'aide pour régler son problème. Il arrive très souvent que l'anxiété, associée à l'activité sexuelle, entraîne des problèmes de dysfonction érectile ou compromet l'union à un point tel que le divorce s'avère la meilleure solution.

Pierre et Johanne ont été mariés pendant 15 ans. Au début, Johanne aimait leurs activités sexuelles et elle était très excitée, mais n'obtenait pas d'orgasme en raison de la rapidité avec laquelle Pierre éjaculait. Ils en ont discuté mais sans réussir à améliorer la situation. Après quelques années, Johanne cessa d'éprouver du plaisir sexuel. Cependant, elle resta toujours disposée à satisfaire Pierre, qui continuait à éjaculer rapidement avant de se retourner et de s'endormir. Johanne avait fait son deuil du plaisir sexuel.

Il est évident que Pierre et Johanne faisaient face à un problème d'éjaculation précoce. Le traitement visant à prolonger la relation sexuelle aurait été cependant relativement facile. Certes il aurait fallu un certain temps à Johanne avant qu'elle reprenne goût aux activités sexuelles à cause des expériences négatives qu'elle a vécues pendant 15 années. Malgré la grande volonté manifestée par le couple, ils n'ont pu régler leurs problèmes.

Line et Michel ont une bonne relation de couple mais lorsqu'ils font l'amour Michel n'est jamais satisfait. D'ordinaire, il peut maintenir une activité de pénétration environ trois minutes mais reste insatisfait parce qu'il ne peut vraiment contrôler son éjaculation et que Line ne peut atteindre d'orgasme dans ce laps de temps.

Line et Michel ne réalisent pas que trois minutes de pénétration constituent une moyenne supérieure à ce que la plupart des couples obtiennent, s'il faut en croire une étude de Kinsey (1948). Ils ne doivent donc pas être considérés comme ayant un problème d'éjaculation précoce. Étant donné que Michel ne peut contrôler le moment de son éjaculation et que Line n'atteint pas d'orgasme, on peut parler plutôt de contrôle inadéquat de l'éjaculation, ce qui peut être traité. Il serait alors possible pour Michel d'apprendre à mieux contrôler son éjaculation et pour Line d'atteindre un orgasme. Advenant que Line ne puisse y arriver malgré un meilleur contrôle de Michel, d'autres causes pourraient intervenir ou être responsables (par exemple le fait de n'avoir jamais appris à atteindre un orgasme). Dans ce cas, un autre genre de thérapie peut s'avérer nécessaire.

Lucie et Normand ont un problème différent. Ce dernier a un bon contrôle éjaculatoire mais il obtient habituellement son orgasme une ou deux minutes après la pénétration, juste après que Lucie a atteint le sien. Ce couple croyait avoir une bonne relation sexuelle mais il s'est récemment fait dire qu'un homme doit maintenir la pénétration pendant 10 minutes pour satisfaire une femme. Lucie et Normand songent à remettre en cause les qualités de partenaire mâle.

Absurde! Un des problèmes rencontrés avec la prolifération des articles traitant de sexualité ainsi que des guides du savoir-faire sexuel est l'irréalisme des attentes. Lucie et Normand étaient satisfaits d'atteindre mutuellement l'orgasme. C'est ce qui importe. Nul autre que Lucie et normand ne peut établir des normes en ce qui les concerne. En fait, la plupart des définitions «d'experts» en matière de sexualité différeraient les unes des autres et seraient probablement basées en grande partie sur des habitudes et des expériences personnelles.

Voici un dernier exemple: Nathalie et Marcel ont une vie sexuelle des plus moches. Nathalie n'obtient jamais d'orgasme et reproche constamment à Marcel son éjaculation précoce ainsi que son incapacité à la satisfaire. Finalement, Marcel consulte un psychologue. Il veut en savoir davantage, découvrir pourquoi il est si égoïste face à la sexualité, et acquérir un meilleur contrôle éjaculatoire. Quelques minutes après le début de l'entrevue, le psychologue découvre que Marcel atteint l'orgasme habituellement après «seulement» vingt minutes de pénétration vigoureuse. L'incapacité pour Marcel de satisfaire Nathalie ne provient certes pas d'une éjaculation précoce. Pour des raisons inconnues, Nathalie n'a pas su apprendre à être orgasmique. Par contre, elle sait que toute femme a le droit d'atteindre l'orgasme et s'attend à ce que Marcel le lui permette. Dans ce cas, ce couple ne retirerait aucun avantage d'un traitement pour l'éjaculation précoce. Il devrait plutôt recourir à un autre type de traitement portant sur les dysfonctions orgasmiques chez les femmes ou, alors, travailler sur leur relation de couple.

Certains de ces cas types permettent d'illustrer plusieurs problèmes reliés à l'éjaculation précoce qui peuvent bénéficier du traitement exposé dans ce livre. Par contre, d'autres cas précités ne sont pas attribuables à l'éjaculation précoce ou incontrôlée et, par conséquent, le traitement de l'éjaculation précoce ne serait pas indiqué. Il arrive souvent que l'éjaculation précoce s'explique chez un couple par un autre problème, tel que l'incapacité pour la femme d'atteindre l'orgasme. Ceci étant dit, le vrai problème n'est plus que Jean éjacule trop vite, mais que Claire n'atteint pas l'orgasme. S'il était possible à Claire de l'atteindre ou si leur relation sexuelle dans l'ensemble était satisfaisante, la vitesse d'éjaculation ne poserait pas de problème.

Il devrait être clair que les couples qui décident de mettre fin à leur problème d'éjaculation précoce doivent d'abord analyser la situation et être relativement sûrs que ce traitement leur convient. Bien que plusieurs femmes deviennent orgasmiques après avoir résolu le problème de l'éjaculation précoce de leur partenaire, le traitement suggéré ne devrait pas être considéré comme une panacée à tous les ennuis sexuels malgré l'amélioration possible de certains aspects de la sexualité.

Si vous êtes un couple dont l'homme éjacule trop rapidement, ce programme est tout désigné pour vous. Par ailleurs, il s'avère difficile de découvrir l'existence d'autres problèmes sexuels avant que l'homme ait atteint un meilleur contrôle d'éjaculation. Une fois l'apprentis sage du contrôle d'éjaculation acquis, vous serez en mesure d'évaluer d'autres aspects de votre relation sexuelle.

Ce programme s'adresse également aux hommes ayant déjà un contrôle de quelques minutes, mais qui désirent augmenter leur performance. Il importe cependant de prendre en considération les facteurs suivants: (1) vous devez être bien certains que les deux partenaires désirent améliorer le contrôle de l'éjaculation; (2) vous devez être convaincus que votre problème en est vraiment un de manque de contrôle d'éjaculation. Advenant la prédominance d'autres problèmes, vous auriez avantage à régler ceux-ci d'abord. Mais il vous sera loisible de chercher d'abord à acquérir un meilleur contrôle éjaculatoire pour tenter ensuite de régler par vous-mêmes les autres problèmes avant de consulter.

Si vous croyez que le manque de contrôle est un problème pour vous mais que vous avez également d'autres difficultés dans ce domaine, lisez le chapitre 21 qui traite de ces sujets.

Nous ne prétendons pas que la relation sexuelle devrait toujours être une activité prolongée. Au contraire, on se préoccupe généralement trop des normes de performances sexuelles. Combien de temps un homme peut-il contrôler son éjaculation, combien d'orgasmes une femme peut-elle avoir, combien de fois un homme éjacule-t-il en une nuit? Cela importe relativement peu. L'essentiel est de savoir si un couple est satisfait de sa vie sexuelle, peu importent son ampleur et son intensité. Kinsey et ses associés (1948) ont trouvé que 75 p. cent de tous les Américains éjaculaient en moins de deux minutes après l'intromission vaginale. Plusieurs couples sans problèmes sexuels préfèrent occasionnellement une relation sexuelle rapide, et nombreux sont ceux qui ont toujours cette préférence. Si cela satisfait les deux partenaires, il n'y a pas lieu de parler d'éjaculation précoce. Les problèmes surviennent seulement si l'un des deux partenaires (ou les deux) n'épouve pas de satisfaction à cause de l'éjaculation précoce. C'est pourquoi nous laissons à chaque couple le soin d'établir, à la lumière des indications fournies dans ce chapitre, s'il est aux prises avec un problème d'éjaculation dite précoce.

Chapitre 3

INFORMATIONS ADDITIONNELLES SUR L'ÉJACULATION PRÉCOCE

L' éjaculation précoce est de loin la dysfonction sexuelle la plus souvent rencontrée chez les hommes et affecte probablement des milliers d'entre eux, ainsi que leurs partenaires à un moment donné. Presque tous les hommes font face à ce problème à un moment dans leur vie sexuelle. Certains l'éprouvent toute leur vie.

Comment l'éjaculation précoce se développe-t-elle?

L'éjaculation précoce peut être considérée comme un comportement appris, ou une habitude, qui s'est développé pour plusieurs raisons. Bien que, généralement, les hommes éjaculent très rapidement lors de leurs premières relations sexuelles, ils développent habituellement un meilleur contrôle avec le temps et l'expérience. Cependant, certains hommes n'y parviennent pas, alors que d'autres, après une période de fonctionnement normal, perdent ce contrôle et sont incapables de le retrouver. Personne ne sait vraiment pourquoi ces problèmes surviennent. Toutefois, les traitements peuvent s'avérer bénéfiques sans même qu'il faille connaître la cause de l'éjaculation précoce. Si vous êtes comme la plupart des gens, votre curiosité vous poussera à en connaître la cause, même si celle-ci est indépendante du traitement. Ce chapitre expose diverses théories concernant le développement de l'éjaculation précoce, théories reposant sur nos connaissances actuelles en matière de fonctionnement sexuel. Rappelons cependant que ces connaissances, en constante évolution, peuvent être dépassées dans quelques années. Toutefois, elles sont les plus adéquates pour le moment.

Certains chercheurs en matière de sexualité croient que l'éjaculation précoce se développe lorsque l'homme s'engage dans une série de situations où la rapidité de l'éjaculation est encouragée ou bien renforcée. Le cas échéant, une véritable habitude d'éjaculer rapidement s'installe après seulement quelques expériences sexuelles effectuées à la hâte.

Masters et Johnson rapportent, par exemple, que plusieurs hommes de la génération des quarante ans et plus ont souvent vécu leur première expérience sexuelle dans des maisons de prostitution. À ces endroits, la prostituée a avantage à offrir ses services le plus rapidement possible afin d'avoir un plus grand nombre de clients. Il est habituellement très facile pour une femme expérimentée de stimuler son partenaire de telle sorte qu'il obtienne rapidement l'orgasme. Quelques expériences comme celles-là suffisent à faire acquérir l'habitude de l'éjaculation précoce.

Une des manifestations de la révolution sexuelle des dernières décennies a été la diminution du rôle des maisons de prostitution dans l'initiation des hommes à la sexualité. D'autres situations ont prévalu, prenant la relève des bordels, mais ne favorisant pas moins l'éjaculation précoce. Les activités sexuelles des adolescents et des jeunes adultes, même si elles se produisent d'un commun accord, ont souvent lieu à la hâte parce qu'on craint d'être découvert. Ainsi, un jeune couple faisant l'amour sur la banquette arrière de l'automobile dans un ciné-parc peut se hâter d'en finir de peur d'être surpris.

On rencontre également souvent de jeunes couples qui ont des relations sexuelles dans la maison familiale. Cette situation est naturellement anxiogène et encourage l'éjaculation précoce en raison toujours de la peur d'être pris sur le fait. Ce facteur semble jouer un rôle évident dans le développement du problème. Il existe cependant d'autres causes puisque la persistance de l'éjaculation précoce ne se rencontre pas chez tous les hommes ayant vécu des expériences sexuelles à la hâte.

Des couples ont reporté la cause de leur problème d'éjaculation précoce sur leur emploi du temps trop chargé. Par exemple, lorsqu'un des deux ou les deux partenaires sont étudiants ou ont deux emplois, il devient difficile d'avoir du temps à consacrer aux activités sexuelles, et par conséquent ils se hâtent. Cette pression régulière à laquelle ils sont soumis, comme tout autre type de pression, favorise l'acquisition du faible contrôle éjaculatoire.

L'interruption coïtale comme moyen contraceptif semble également contribuer au faible contrôle éjaculatoire. Ce moyen contraceptif, où l'homme se retire juste avant l'éjaculation, semble être associé à un type d'activité qui veut que le couple se stimule mutuellement jusqu'à un haut niveau d'excitation et que l'insertion du pénis suive immédiatement pour effectuer quelques rapides secousses pour ensuite être retiré pour éjaculer. Il est possible que l'homme dans cette situation n'ait vécu que peu d'expériences en matière de relation sexuelle coïtale et qu'il éprouve de la difficulté à développer un meilleur contrôle éjaculatoire.

L'éjaculation précoce peut également se développer «spontanément» après une période de fonctionnement sexuel adéquat. Si tel est le cas, ça relève plus du domaine médical et il ne faut pas hésiter à consulter un urologue.

Toutes les causes décrites ci-haut sont valables et peuvent être à l'origine de la plupart des cas d'éjaculation précoce. Cependant, dans bien des cas il n'y a pas d'explication évidente et personne ne peut pointer du doigt la cause exacte d'une telle situation. De toute façon, une compréhension exacte du développement de l'éjaculation précoce n'est généralement pas nécessaire au succès thérapeutique.

L'anxiété semble également être un facteur qui contribue à la persistance du problème. L'appréhension de devoir faire face à une éjaculation précoce peut souvent amener une éjaculation encore plus rapide. Cet ennui incite plusieurs hommes à essayer une variété de techniques pour retarder l'éjaculation, telles que compter à rebours par 7, penser aux problèmes inhérents à son travail, se mordre ou se tirer les cheveux, etc. Il est évident que ces techniques ont très peu d'effet et ne servent qu'à éliminer tout le plaisir relié à l'activité sexuelle. Éven-

tuellement, cette situation peut amener chacun des partenaires à se montrer inquiet et nerveux à chaque fois
qu'ils font l'amour. Ils peuvent même faire montre d'une
telle anxiété que cela peut engendrer d'autres problèmes
sexuels plus graves encore.

Chapitre 4

QUELQUES SOLUTIONS FACILES

A vant de commencer le programme de traitement décrit dans ce livre, vous désirez peut-être envisager quelques solutions plus simples qui se sont parfois avérées efficaces. Ces solutions plus faciles sont présentées par le docteur Jack S. Annon dans son livre intitulé *The Behavioral Treatment of Sexual Problems, Volume 1: Brief Therapy*. Elles furent efficaces pour certains couples et pourraient l'être dans votre cas, vous évitant de recourir à un traitement prolongé. D'un autre côté, si ces méthodes ne vous donnent aucun résultat valable, ne vous découragez pas. Nous vous proposerons un programme plus élaboré et plus susceptible de vous satisfaire, particulièrement si vous êtes optimiste et si vous voulez travailler fort, même sur une longue période de temps. À vous donc de décider si vous voulez tenter une solution simple ou si vous voulez, dès le début, suivre une méthode plus élaborée, alors que vous êtes le plus motivé et décidé à travailler.

La plupart des couples aux prises avec un problème d'éjaculation précoce ont déjà essayé certaines stratégies pour tenter de le résoudre. La plupart de ces stratégies sont inefficaces et même désagréables. Elles incluent les procédés mentionnés au chapitre précédent, comme centrer son attention ailleurs que sur les rapports ou l'excitation sexuelle, ou encore s'infliger une douleur pour réduire l'excitation. Les stratégies décrites par le docteur Annon sont très différentes de ces «remèdes-maison» inefficaces. La plupart des procédés suggérés nécessitent qu'on s'y livre d'une façon systématique sur une période de plusieurs semaines si l'on veut obtenir des résultats à long terme.

La première de ces approches implique une réorientation de l'attention sur les sensations expérimentées durant les activités sexuelles. L'homme doit alors porter attention au vagin entourant le pénis, aux sensations produites par de hauts niveaux d'excitation et aux changements dans les sensations à travers le temps. Selon certains auteurs, faire porter l'attention sur les sensations génitales peut aider l'homme à augmenter son contrôle éjaculatoire. En fait, s'attarder aux sensations génitales durant les rapports sexuels est un aspect du programme décrit dans ce livre.

Une deuxième stratégie implique la relaxation comme réponse incompatible avec la tension. Un homme est plus susceptible d'éjaculer lorsqu'il ressent la tension et lorsque ses muscles sont tendus. Apprendre à se détendre plus efficacement durant les rapports sexuels peut aussi avoir comme effet de différer l'éjaculation. Puisque des respirations profondes et régulières entraînent généralement une relaxation musculaire, Annon suggère que l'homme respire profondément et expire à chaque mouvement du pelvis vers l'avant. La relaxation consciente des fesses après l'inspiration sert également.

Troisièmement, les changements dans les mouvements et les positions sont quelquefois utiles et ils font partie du programme plus élaboré. Par exemple, la position qui a cours le plus souvent chez la plupart des couples (la position de l'homme au-dessus de la femme) entraîne une stimulation physique considérable pour l'homme et rend difficile le contrôle de l'éjaculation. D'autres positions (celle avec la femme par-dessus l'homme) ont l'avantage de diminuer la pression et la friction sur le pénis, rendant moins urgent le besoin d'éjaculer. En outre, la position de la femme par-dessus l'homme augmente la quantité de stimulations que la femme reçoit et accroît chez elle la probabilité d'être hautement excitée et d'atteindre l'orgasme.

Plusieurs couples ayant des problèmes d'éjaculation précoce ont des attentes irréalistes concernant des «rapports sexuels normaux» et aimeraient être capables d'avoir des rapports prolongés avec des mouvements vigoureux et très stimulants durant une longue période. La plupart des couples qui prolongent leurs rapports sexuels sur de longues périodes de temps le font en changeant le rythme et la vitesse de leurs mouvements de façon à diminuer la pression que l'homme reçoit et, de ce fait, le besoin d'éjaculer. Ainsi, vous pouvez envisager des pauses, soit en arrêtant les mouvements, soit simplement en réduisant leur intensité pour qu'ils soient moins excitants pour l'homme. L'essentiel du programme de réapprentissage que vous pourrez essayer, si ces méthodes non structurées et plus simples échouent, implique des pauses aux moments appropriés pour apprendre à maintenir la relation sexuelle coïtale durant de plus longues périodes de temps. Plusieurs couples auront besoin d'une approche plus longue, plus systématique et plus structurée, alors que quelques-uns peuvent se limiter à des méthodes plus brèves.

Une autre suggestion du docteur Annon consiste simplement à se livrer à des activités sexuelles plus fréquentes. Plusieurs couples, à cause de la frustration causée par l'éjaculation précoce, tendent à éviter l'activité sexuelle jusqu'à ce qu'ils atteignent des niveaux d'excitation très élevés. À ce moment, ils sont tellement excités que la moindre stimulation suffit pour provoquer l'éjaculation. Augmenter la fréquence de l'orgasme peut diminuer de façon significative le besoin de parvenir rapidement à l'éjaculation chez plusieurs hommes.

Annon suggère une façon très agréable d'augmenter la fréquence des activités sexuelles. Par exemple, un long week-end loin de la maison, de la famille et des autres sources de stress. Durant ces quelques jours en tête à tête, la principale préoccupation, pour ne pas dire la seule, doit être la sexualité. Le plus souvent possible, les deux partenaires tentent de faire éjaculer l'homme très rapidement à chaque rapport sexuel. Après le premier essai, au cours duquel l'homme parviendra probablement à l'orgasme rapidement, prenez un repos (une baignade, une douche ou un lunch) et recommencez toute activité sexuelle qui est mutuellement agréable. Lorsque l'homme parvient de nouveau à l'érection, ayez de nouveau une relation coïtale. Beaucoup d'hommes, bien sûr, auront de la difficulté à parvenir à une deuxième érection peu de temps après la première. Cela ne devrait pas inquiéter puisque c'est tout à fait normal. Les deux partenaires devraient alors se centrer sur d'autres sortes de stimulations sensuelles ou sexuelles qui sont agréables, ce qui ne demande pas nécessairement d'aboutir à l'orgasme pour les deux partenaires. Gardez en tête que cela finira bien par se produire et appréciez ce qui vous est possible au moment présent.

Au fur et à mesure que la fréquence des rapports sexuels s'intensifie, vous noterez à chaque tentative que l'homme prend de plus en plus de temps pour parvenir à l'éjaculation. Même lorsque tout est tenté pour maintenir l'homme aussi excité que possible, il est susceptible de sentir de moins en moins l'urgence d'éjaculer. De retour à la maison, si vous continuez de faire l'amour plus fréquemment qu'avant, le contrôle éjaculatoire de l'homme peut continuer à s'améliorer.

Si vous voulez essayer cette méthode, mais que vous ne pouvez vous absenter pour une fin de semaine, rien ne vous retient d'augmenter la fréquence de vos rapports sexuels à la maison. Soyez certains d'augmenter la fréquence de façon substantielle. Lorsque la fréquence diminue, vous observerez que l'homme ressent une plus grande urgence à éjaculer durant les rapports sexuels.

Si vous avez essayé quelques-unes des solutions plus simples et qu'elles ne fonctionnent pas, ne désespérez pas. Elles ne fonctionnent pas pour tous et un programme élaboré est susceptible de vous aider, si vous vous y conformez sérieusement. Si vous préférez ne pas prendre le temps d'essayer les moyens suggérés, passez plutôt directement au programme de réapprentissage structuré. Vous y trouverez beaucoup d'intérêt. Souvenez-vous que les procédés suggérés sont souvent efficaces si vous prenez le temps de les essayer réellement. Par ailleurs, le programme plus élaboré et mieux structuré sera plus susceptible de vous aider et il renferme plusieurs des suggestions plus simples que nous venons de décrire.

Chapitre 5

UNE VUE D'ENSEMBLE DU PROGRAMME

Qui devrait utiliser ce livre ?

L e présent volume a été conçu pour fin d'utilisation dans le cadre d'un programme d'auto-traitement de l'éjalucation précoce. Devraient y trouver profit des couples hétérosexuels ayant une relation solide et stable avec peu ou pas de problèmes autres que celui de l'éjaculation précoce. Il est nécessaire que les deux partenaires soient consentants et motivés à travailler ensemble durant une période de quatre à douze semaines dans le but de surmonter cet ennui sexuel. Ce doit être une priorité pour vous deux et vous devez vouloir y consacrer plusieurs heures par semaine. Il est important que vous soyez motivés et que vous vouliez y consacrer du temps sans vous chercher noise, sans argumenter ou sans manifester de l'hostilité. Ces exigences seraient les mêmes si vous veniez dans une clinique pour régler ce problème.

39

Ce programme a été conçu spécifiquement et uniquement pour le traitement de l'éjaculation précoce. Si l'homme a plutôt de la difficulté à parvenir à une érection ou à la maintenir, n'utilisez pas ce manuel; voyez plutôt un(e) conseiller(ère) professionnel(le) en sexualité. D'un autre côté, si la femme n'est pas régulièrement orgasmique durant l'activité sexuelle, vous pouvez profiter des directives données ici. Quoique ce livre n'ait pas été conçu pour résoudre ce problème, le manque de réactivité sexuelle chez la femme peut provenir de la rapidité de l'éjaculation du partenaire mâle. Certaines femmes sont devenus orgasmiques en suivant ce programme. Si, après avoir complété ce programme, la femme ne parvient toujours pas à l'orgasme, vous pourrez alors solliciter l'aide d'un spécialiste.

Si l'éjaculation précoce s'est développée soudainement après une période de fonctionnement normal, il est possible que cela soit attribuable à des problèmes médicaux ou à un traumatisme psychologique. Vérifiez cette possibilité avec votre médecin et votre urologue avant de tenter ce traitement. De toute façon, il serait préférable d'avoir un examen physique et de discuter du problème avec votre médecin.

Rappelons, encore une fois, que ce programme a été conçu pour des couples ayant une relation stable. Il ne fonctionnera pas si des problèmes d'ordre conjugal viennent atténuer votre participation ou si seulement l'un de vous deux désire remédier à la situation. En effet, une personne travaillant seule ne peut s'attendre à ce que ce programme soit efficace. Un homme doit avoir à ses côtés une partenaire qui collaborera avec lui tout au long de ce programme.

Si vous pensez avoir un problème d'éjaculation précoce, mais que vous ne rencontrez pas les critères d'utilisation de ce manuel, vous devez alors contacter un(e)
conseiller(ère) professionnel(le) en sexualité. Toutefois,
dans cette démarche, soyez bien conscients d'une chose.
Le counseling sexuel est un domaine nouveau et en
pleine expansion. Aussi, il se peut que vous rencontriez
plusieurs charlatans qui ne se gênent nullement de se dire
thérapeutes sexuels. Soyez certains de choisir quelqu'un
qui est reconnu comme responsable et qualifié pour vous
aider. Certaines informations, fournies à l'appendice,
vous aideront à choisir un(e) thérapeute sexuel(le) qua-
lifié(e).

Vue d'ensemble du programme de traitement

L'éjaculation précoce est **un ensemble de comportements appris et formant une habitude qui peut facilement se désapprendre si l'on suit à la lettre et sérieusement les procédures décrites dans ce livre.** Le présent
programme de rééducation est centré sur les objectifs
suivants: 1) enseigner au couple deux techniques qui lui
permettront de contrôler physiquement le moment de
l'éjaculation; 2) diminuer l'anxiété que les deux partenaires peuvent éprouver durant l'activité sexuelle. L'utilisation de ces deux méthodes (la compression et la
pause) permettra de différer l'éjaculation lorsque nécessaire, et d'apprendre graduellement à mieux contrôler le
moment de l'éjaculation.

Ce traitement de base a d'abord été élaboré par le
docteur James H. Semans (un urologue de l'École de médecine de l'université Duke), mais fut largement ignoré
jusqu'à ce que Masters et Johnson en révisent les données et commencent à l'appliquer systématiquement au

41

traitement de l'éjaculation précoce. Le traitement prescrit ici est basé sur le travail de Semans et de Masters et Johnson, tel qu'adapté pour fin d'application par la clinique de psychologie de l'Université de l'Oregon et par un groupe de chercheurs en thérapie behaviorale du département de psychologie de l'Université du Québec à Montréal. Pour fin d'auto-traitement, il vous est exposé dans ce livre.

Masters et Johnson rapportent un taux de succès de 97,8 p.cent pour le traitement de l'éjaculation précoce. Cependant, ce programme est coûteux puisque le couple doit se rendre à St. Louis, payer sa chambre et sa pension durant deux semaines de même que les frais de traitement qui peuvent atteindre 2 500 $. Comme il y a relativement peu de bonnes cliniques offrant un tel traitement et puisque la plupart des cliniques sexuelles exigent des tarifs très élevés, ce livre a été écrit à votre intention, pour rendre le traitement de l'éjaculation précoce plus accessible, et plus en rapport avec vos moyens financiers.

Que pouvez-vous attendre de ce programme?

De façon idéale, la plupart des gens complétant ce programme pourraient espérer être en mesure de se livrer à des relations sexuelles sans inhibition et avec un contrôle parfait de l'éjaculation, sans utiliser la compression ou la pause. Dans les faits, peu de couples pourront atteindre ce but.

Il est plus réaliste de s'attendre à une amélioration plutôt qu'à un contrôle total de l'éjaculation. La plupart devront continuer à utiliser la compression ou la pause, ou moins occasionnellement, après avoir complété le programme, spécialement lorsqu'ils sont extrêmement excités ou lorsqu'ils n'ont pas eu de relations sexuelles depuis un certain temps. Certaines personnes trouveront qu'elles doivent utiliser la compression ou la pause assez régulièrement. Cependant, même ces personnes rapportent généralement des relations sexuelles plus satisfaisantes qu'avant le début du programme. Plusieurs sont capables d'incorporer la compression ou la pause dans leur répertoire d'activités sexuelles normales sans que cela soit gênant.

Les couples affirment généralement que, peu importe le degré exact de contrôle auquel ils parviennent, leur vie sexuelle est plus satisfaisante et ce, pour les deux partenaires. Malgré ces efforts, **la plupart des gens n'auront pas un contrôle parfait de leur éjaculation** mais pourront, avec la pratique, continuer à améliorer leur contrôle. Nous insistons parce que plusieurs couples ayant des problèmes d'éjaculation précoce auront des attentes excessives concernant les résultats et des notions irréalistes de ce qui est «normal». Soyez conscients, lorsque vous entreprenez ce traitement, qu'un contrôle **amélioré** est un objectif souhaitable mais qu'un contrôle **parfait** ne l'est pas.

La plupart des traitements concernant des problèmes sexuels ne produisent jamais une amélioration totale après seulement quelques semaines. Ils fournissent plutôt les bases nécessaires à un couple désireux de jouir d'une meilleure vie sexuelle. Même Masters et Johnson encouragent leurs clients à pratiquer le contrôle éjaculatoire en recourant au procédé de compression pour une période allant jusqu'à un an après la fin du traitement.

Chapitre 6

COMMENT UTILISER CE PROGRAMME

L es méthodes proposées dans ce programme sont identiques à celles que nous suggérons à un couple qui vient nous consulter pour un problème d'éjaculation précoce. La seule différence réside dans le fait que c'est vous, grâce aux indications que vous livre ce volume qui devrez diriger votre propre traitement. Pour être certain de vous conformer aux directives prescrites, lisez attentivement les instructions suivantes.

1. **Vous devez considérer ce manuel comme s'il était votre thérapeute. Ceci veut dire que vous devez le lire tous les deux et suivre les instructions attentivement et complètement.** Vous devez faire exactement ce que le manuel vous suggère. Ne faites rien de ce qui ne vous est pas explicitement demandé. Il y a une raison à cela et le traitement ne sera efficace que si vous le suivez exactement tout comme si vous alliez voir un thérapeute.

Un aspect important du traitement consiste dans des exercices non sexuels concernant les deux partenaires. Selon notre expérience, la plupart des couples se parlent et se confient de moins en moins l'un à l'autre au cours des années. Pour la réussite du traitement, il est essentiel que les partenaires soient le plus près possible l'un de l'autre, tant sur le plan émotif que physique. Tout au long du traitement surgiront divers problèmes et vous devrez en discuter ensemble. Pour ces raisons, le programme inclut des tâches bien spécifiques qui vous inciteront à passer du temps ensemble à discuter d'activités non sexuelles tout autant que sexuelles. Il est important, pour ceux qui veulent réussir, qu'ils accomplissent toutes les tâches qu'il leurs sont suggérées, peu importe s'ils pensent qu'elles s'appliquent à eux ou non.

2. En plus des exercices suggérés, les deux partenaires ne doivent pas se livrer à d'autres activités sexuelles (les baisers et les étreintes sont permis, mais rien d'autre ne devrait être fait à moins d'être suggéré). De façon plus précise, vous ne devriez pas avoir de relations sexuelles, à moins qu'il s'agisse d'exercices suggérés. L'interdiction des relations n'a pas pour but de vous punir, mais c'est une condition nécessaire et une partie importante du traitement. Il en serait ainsi d'ailleurs si vous rencontriez le thérapeute en personne. La raison d'une telle interdiction c'est que l'éjaculation précoce est une habitude, une façon que vous avez apprise de réagir sexuellement. La meilleure façon de briser une habitude est d'arrêter complètement de la répéter tout en apprenant à réagir différemment. Il est aussi plus facile d'en arriver une nouvelle façon de répondre, si vous mettez un terme à tout comportement habituel.

3. **Une seule exception peut permettre de déroger à l'interdiction d'activités sexuelles non suggérées.** Puisque certaines femmes aiment recourir régulièrement à la masturbation, elles peuvent, si elles le désirent, se masturber seule, en privé. Certaines partenaires trouvent les premières phases du programme frustrantes et elles ont besoin de rendre moins intense leur tension sexuelle. Les femmes ne désirent pas toutes se masturber. Toutefois, si elles ont le goût de le faire, il s'agit d'un besoin légitime et raisonnable qui ne devrait pas aller à l'encontre du traitement.

Par ailleurs, si la femme ou les deux partenaires ont décidé de travailler à un programme portant sur l'augmentation de la réactivité sexuelle à l'aide de l'un des programmes écrits pour la femme et que cela n'entre pas en conflit avec le présent traitement, vous devriez vous sentir libre de le faire.

4. **En plus de vous conformer à chacune des étapes, vous devez le faire dans l'ordre présenté.** Ne sautez pas d'une étape à l'autre; suivez plutôt toutes les recommandations prescrites. Procéder ainsi peut demander plus de temps, mais quelques jours de plus peuvent sûrement augmenter les chances de succès et assurer l'amélioration des relations sexuelles dans l'avenir.

5. **Complétez au moins une étape par semaine.** Ce traitement se réalise en douze étapes comprenant à la fois des activités sexuelles et non sexuelles à chacune d'elles. D'après notre expérience, la plupart des couples peuvent assez facilement compléter au moins une étape à chaque semaine. Vous devriez tenter de faire de même. Si vous désirez aller plus vite et compléter avec succès une étape en moins d'une semaine, sentez-vous libres de

le faire. Cependant, vous devriez essayer très sérieusement de ne pas consacrer plus d'une semaine à chaque étape. La raison: plus le programme s'étire, moins vous vous sentirez enthousiasmés et moins grandes seront les chances de le compléter.

La meilleure stratégie est de compléter le programme aussi rapidement que possible tout en vous conformant aux directives suggérées pour chaque étape. Attention: ne vous hâtez pas au point d'escamoter chaque étape, ou n'allez pas tellement lentement que vous risquez de vous décourager devant la longueur du traitement. Un programme de six à dix semaines devrait suffire pour la plupart des couples.

6. **Si certaines activités présentent quelques difficultés, répétez-les jusqu'à ce que vous soyez capables de les faire avec succès.** Cela peut vouloir dire de différer le début de la prochaine étape. Chaque nouvelle étape suppose la réussite de la précédente, de sorte que vous aurez besoin de compléter chacune avant de passer à la suivante. Ceci va, bien sûr, retarder la réalisation de tout le programme, mais il est important de faire chaque exercice soigneusement. Cependant, soyez raisonnable. N'essayez pas d'en faire trop ou d'aller trop vite. Tous, vous aurez à affronter certains problèmes occasionnels et devrez répéter des exercices à l'occasion. Ne vous découragez pas, il est normal que cela vous arrive.

Si vous commencez à faire des progrès, mais que vous n'avez pas encore compléter avec succès tous les exercices d'une étape, répétez-les encore une fois. Et si le progrès tarde à se faire sentir, retournez une ou deux étapes en arrière. Répétez les exercices de ces étapes, et essayez alors, à nouveau une étape ultérieure. Si vous ne pouvez pas faire de progrès, même après avoir répété certains exercices et être retournés en arrière, vous devrez probablement abandonner ce programme. Tous ne peuvent compléter avec succès un auto-traitement basé sur la lecture de ce manuel. Cela ne signifie pas qu'il n'y a pas d'espoir pour vous. Cela veut plutôt dire que ce type de traitement n'est pas approprié à votre cas. Si le traitement préconisé ne vous satisfait pas et que vous êtes encore intéressé à résoudre votre problème, vous devrez probablement trouver un(e) conseiller(ère) compétent(e) dans le domaine de la sexualité (voir l'appendice).

7. **Si vous pensez que vous et votre partenaire aurez des problèmes à entreprendre et à poursuivre le programme, planifiez un horaire à l'avance de telle sorte que vous saurez quand vous devrez faire une pratique.** Assoyez-vous au début de chaque semaine, décidez quand vous ferez vos exercices et inscrivez-le sur votre calendrier. Vous pouvez aussi indiquer sur votre calendrier si vous avez effectivement fait vos exercices. Ne prenez pas trop de retard sur l'horaire prévu. Si cela se produit, vous retarderez vos progrès et augmenterez votre frustration.

8. **Chaque étape suit la même séquence.** Après un bref résumé de ce que vous avez déjà accompli, l'information nécessaire à la nouvelle étape vous est présentée. Puis des exercices spécifiques sont prescrits, suivis d'un aperçu des problèmes possibles. Dans chaque section, les problèmes que vous avez pu expérimenter sont discutés en même temps que des solutions potentielles. Enfin, un résumé de l'essentiel de cette étape est présenté.

9. **Chacun des partenaires doit prendre connaissance**

de toutes les étapes du programme, du début à la fin (incluant la section sur les problèmes pouvant se présenter) avant d'entreprendre les exercices.

10. **Ne vous attendez pas à des résultats immédiats.** Cela peut prendre plusieurs semaines d'efforts avant que vous notiez des progrès. Vous allez prendre de nouvelles habitudes et cela nécessite toujours une certaine pratique. Vous n'observerez probablement pas de résultats si vous commencez à jouer au tennis aujourd'hui. Les progrès ne seront apparents que si vous pratiquez intensivement.

11. **Vous devez tenter de poursuivre le programme sans qu'il y ait interruption.** Mais si vous devez interrompre pour un peu plus de quelques jours, ne reprenez pas là où vous avez abandonné. Retournez plutôt quelques étapes en arrière. Faites un exercice facile pour vous et poursuivez vers les autres étapes.

Certains couples préfèrent ne pas avoir d'activités sexuelles durant les menstruations de la femme. Si tel est votre cas, ne faites pas les exercices sexuels durant cette période. Toutefois retournez au programme aussitôt que possible.

12. **Vous devriez continuer d'utiliser vos méthodes habituelles de contraception ou de contrôle des naissances durant le programme.**

13. **Lisez bien ce qui suit.** Les recherches que nous avons effectuées antérieurement à l'occasion de la diffusion de ce programme nous confirment que des couples peuvent traiter eux-mêmes les problèmes résultant de l'éjaculation précoce. Toutefois, ces recherches indiquent aussi que les couples ont souvent de nombreuses

50

difficultés à compléter ce programme par eux-mêmes. Nous en avons conclu qu'un contact minimal d'une durée moyenne de six minutes par semaine avec le thérapeute augmentait de façon très importante l'habileté du couple à compléter le traitement. Ce contact téléphonique n'avait pas généralement d'autre but que de surveiller les progrès réalisés par nos clients. Cependant, cela semblait crucial pour plusieurs couples. À moins que vous ne soyez extrêmement motivés à compléter ce programme durant une période de quatre à douze semaines, vous pouvez désirer faire des arrangements similaires. Essayez alors de trouver une source extérieure d'encouragements et de motivation. Cette personne ne sera pas nécessairement un(e) thérapeute sexuel(le) professionnel(le) mais ce pourra être votre médecin de famille, ou toute personne que vous aimez et respectez. Son rôle consistera à surveiller vos progrès, de telle sorte qu'une tierce personne en sera consciente et pourra vous encourager dans vos efforts. Si vous décidez de procéder ainsi, encouragez la personne ressource à lire le chapitre 19 de ce livre qui a été écrit à l'intention des thérapeutes.

14. **Vous êtes maintenant prêts à commencer.** Souvenez-vous que chacun des partenaires doit lire attentivement chaque partie et faire tout ce qui est suggéré. Ne faites pas ce qui n'est pas prévu et tenez-vous-en au programme. Bonne chance et ayez du plaisir. Le présent manuel est un traitement, mais vous y apprendrez également des choses nouvelles et excitantes au sujet de votre corps et de celui de votre partenaire. Vous ferez aussi des choses très agréables durant le traitement. C'est vous qui rendrez ce programme ou bien très plaisant ou bien très ennuyeux.

Chapitre 7

Première étape:
CARESSES, COMPRESSION ET PAUSE

A près la lecture de cette première étape, vous devriez retenir ces quelques éléments:

Pour bien réussir ce traitement, il est important que vous fassiez TOUS les exercices prescrits. Vous ne devez pas choisir seulement ceux qui vous semblent intéressants mais vous devez les faire tous et tels que nous les décrivons. Autrement, inutile d'attendre une amélioration quelconque. Dans la même ligne de pensée, vous ne devez pas tenter d'expériences sexuelles autres que celles décrites dans ce manuel. Comme vous essayez de vous défaire de vieilles habitudes et d'en acquérir de nouvelles, il est nécessaire de suivre toutes les instructions fournies. Plus spécifiquement, ceci veut dire que vous NE DEVEZ pratiquer le coït (pénétration du pénis dans le vagin) et avoir des contacts bucco-génitaux qu'au moment ou ce sera prescrit de façon explicite dans le volume. Ces interdictions sont importantes pour qu'un couple puisse briser avec succès les habitudes d'une éjaculation trop rapide et surmonter l'anxiété souvent associée à la pénétration.

Il existe une seule exception: la femme peut se masturber si elle le désire. Il ne faut pas oublier que ce programme est nécessairement axé sur l'homme et sur son contrôle de l'éjaculation, particulièrement au cours des premières étapes. Toutefois, si la femme se sent sexuellement ignorée, sexuellement frustrée, ou si, simplement, elle le désire, elle doit se sentir tout à fait libre de se masturber. Ce sera évidemment plus facile pour cette dernière si son partenaire lui laisse entendre qu'il comprend que sa masturbation constitue une bonne façon de diminuer ses tensions sexuelles, tout en étant également saine, normale et acceptable. Vous devriez reconnaître qu'il n'y a rien de nuisible, de destructeur ou de mauvais en ce qui concerne la masturbation, autant chez l'homme que chez la femme. Elle ne mène pas à l'insanité, ne provoque pas la croissance du poil sur la paume des mains et ne produit pas de verrues. Au contraire, la masturbation peut vous aider à mieux connaître votre corps, à favoriser l'apprentissage des touchers et des stimulations agréables, ou excitantes pour vous et elle peut enfin vous permettre de répondre davantage sexuellement.

Deuxièmement, on trouvera dans ce livre des exercices prescrits pour l'homme, pour la femme et pour le couple. Les exercices pour l'homme apparaissent en premier, mais ceci vise simplement à une meilleure organisation du manuel. Pour passer aux exercices de couple, il n'est pas nécessaire que les exercices individuels aient été complétés. D'ailleurs, il est habituellement préférable que les sessions de pratique et les exercices individuels et de couple soient également répartis tout au long de l'étape.

Troisièmement, cette première étape exigera davantage d'efforts que les autres. Vous aurez à faire plus de lectures et plus d'exercices dans cette première étape que par la suite. Habituellement, les gens sont impatients de commencer; nous tenterons donc de vous faire progresser rapidement. Le rythme des activités diminuera quelque peu lorsque vous aurez développé ces nouvelles habiletés.

LEÇON No 1
Le cycle de l'excitation sexuelle

L'apprentissage de la technique de compression pénienne (la même que celle utilisée par Masters et Johnson dans le traitement de l'éjaculation précoce), ainsi que la technique de la pause constituent les premiers pas que l'homme doit franchir pour traiter son éjaculation précoce. Avant d'apprendre ces techniques, il serait utile d'expliquer quelques notions de base en rapport avec le cycle de l'éveil sexuel. Selon Masters et Johnson, on retrouve quatre phases dans le cycle sexuel: l'excitation, le plateau, l'orgasme et la résolution. Ce cycle est remarquablement identique chez les deux sexes; nous y retrouvons en effet les quatre mêmes phases avec, toutefois, une légère différence dans la réponse physiologique.

Pour l'homme, la phase d'excitation commence avec l'érection du pénis, cette phase pouvant se produire quelques secondes seulement après le début d'une stimulation sexuelle, qu'elle soit de nature physiologique ou psychologique. L'érection est causée par une «vaso-congestion» graduelle du pénis, c'est-à-dire qu'il entre plus de sang dans le pénis qu'il ne peut en ressortir. Durant cette phase, le scrotum (sac contenant les testicules) sera tendu et les testicules remontées contre le corps. D'autres réponses corporelles peuvent aussi se manifester durant l'excitation. Ainsi, il peut y avoir érection des mamelons chez plusieurs hommes, mais pas chez d'autres. Des groupes de muscles se tendent, le pouls et la pression sanguine augmentent. Chez certains hommes, une rougeur provoquée par la stimulation sexuelle (que l'on nommera dorénavant rougeur sexuelle) peut apparaître sur la partie supérieure du corps (visage, cou, poitrine).

Il n'y a pas de différence notable entre la fin de la phase d'excitation et le début de la phase du plateau. Cette seconde phase se caractérise principalement par une augmentation de la réponse physiologique, déjà amorcée durant l'excitation. Le pénis se retrouve en érection complète durant cette phase. La couronne du gland (que l'on appelle gland ou tête du pénis et qui joint le corps du pénis), peut grossir légèrement chez certains, et le gland peut prendre une couleur plus foncée. De plus, les testicules se gonflent et s'élèvent encore davantage (pour se retrouver très près du corps). Le rythme de la respiration et du pouls, de même que la pression sanguine augmentent. La rougeur sexuelle peut s'accentuer et la tension musculaire s'intensifier. Durant le plateau, quelques sécrétions de liquide peuvent émerger du pénis bien avant que l'éjaculation n'ait lieu. Bien que cette sécrétion ne soit pas féconde, elle peut contenir une certaine quantité de spermatozoïdes actifs et ainsi entraîner une fécondation, même si le pénis est retiré du vagin avant l'éjaculation.

À mesure que l'excitation augmente, la phase du plateau approche de son terme et l'homme atteint un point d'imminence éjaculatoire, un point de non-retour. Ce point de non-retour apparaît quelques secondes avant l'orgasme et l'éjaculation. À partir de ce moment, l'éjaculation ne peut être arrêtée jusqu'à ce que le processus soit parvenu à sa fin. Le succès du programme dépendra de la capacité de l'homme à reconnaître le point d'imminence éjaculatoire dans son propre cheminement sexuel. Masters et Johnson rapportent que l'élévation complète des testicules indique qu'un homme a atteint le point de non-retour, lequel sera suivi de l'éjaculation et de l'orgasme.

Durant l'orgasme, on assiste à une série de contractions rythmiques qui apparaissent dans le pénis et dans certains des organes internes. Ces contractions, ainsi que l'expulsion (ou l'éjaculation) de la semence témoignent de l'orgasme et procurent le plaisir chez la plupart des hommes. Durant cette phase, les rythmes cardiaque et respiratoire, la pression sanguine ainsi que la rougeur sexuelle atteignent un sommet. Une grande tension musculaire accompagnée de contractions involontaires peuvent également, au cours de ce stade, faire frémir tout le corps.

L'orgasme sert de «soupape» aux changements corporels se produisant durant l'excitation. Au cours de la phase de résolution, la majorité des réponses physiologiques retournent assez rapidement à leur niveau (de repos) habituel. La perte de l'érection constitue le signe le plus évident de la phase de résolution chez l'homme. Le scrotum et les testicules retrouvent également leur position normale et la rougeur sexuelle disparaît. Les rythmes respiratoire et cardiaque, la grosseur des mamelons et la pression sanguine retrouvent également leur niveau normal.

Durant et après la phase de résolution, la plupart des hommes expérimentent une «période réfractaire» pendant laquelle ils ne peuvent plus redevenir excités ou atteindre l'orgasme. La durée de cette période varie beaucoup d'un homme à l'autre et tend à augmenter avec l'âge.

Pour la femme, la phase d'excitation commence avec la lubrification du vagin, réponse analogue à l'érection du pénis chez l'homme. Cette lubrification causée par la vaso-congestion (il y a plus de sang effluant dans la région pelvienne qu'il n'en ressort) des tissus péri-vaginaux (autour du vagin) consiste en des sécrétions apparaissant sur la paroi interne du vagin. Cette affluence de sang semble forcer les sécrétions à travers les parois du vagin, d'une façon qui n'est pas encore totalement comprise. Dans le même sens que l'apparition de l'érection n'indique pas qu'un homme soit prêt à la pénétration, la lubrification des organes génitaux féminins n'est pas une indication d'une excitation intense ou du moment favorable à la pénétration. C'est plutôt un indice signifiant que le cycle de réponse sexuelle de la femme est commencé.

D'autres réponses physiologiques sont également typiques de la phase d'excitation. Par suite d'une stimulation sexuelle directe ou indirecte, le clitoris commencera à grossir. La localisation et la grosseur exactes du clitoris de même que la rapidité de la réponse et le degré

58

de l'enflement clitoridien varient d'une femme à l'autre. Ces facteurs ne sont pas liés à l'ampleur de l'excitation ou à la capacité sexuelle, tout comme la grosseur du pénis en érection n'est pas liée à la virilité. L'érection des mamelons ainsi qu'une augmentation de la grosseur des seins ont également lieu durant cette phase. Les grandes lèvres s'ouvriront un peu plus tard, durant la phase d'excitation. Elles peuvent s'aplatir contre le corps ou se gonfler et pendre mais, dans les deux cas, elles s'éloigneront de l'ouverture vaginale. Le ballonnement vaginal se formera dans les deux tiers internes du vagin puisque l'utérus s'élèvera et le col se rétractera, augmentant ainsi la cavité vaginale. La couleur et la paroi vaginale commencera aussi à changer pour un rouge plus foncé ou violet. Finalement, d'autres changements corporels indentiques à ceux des hommes se produiront. On pourra voir apparaître une rougeur sur la poitrine, certains muscles commenceront à se contracter, les rythmes cardiaque et respiratoire s'accéléreront.

La phase du plateau réfère principalement à une intensification des changements apparus durant la phase d'excitation. Les changements corporels deviennent plus marqués et plus étendus durant cette phase. L'engorgement et le gonflement des lèvres réduiront de plus de 50 p. cent le diamètre de l'ouverture vaginale, permettant ainsi d'agripper le pénis plus fermement. Ces deux phénomènes provoquent également une enflure des tissus entourant le tiers externe du vagin et des lèvres, ce qui prépare à la plate-forme orgasmique. L'utérus peut s'élever davantage, provoquant un ballonnement plus prononcé des deux tiers internes du vagin. Le clitoris peut aussi s'élever davantage et se retirer sous le capuchon clitoridien, de manière à devenir invisible et le rendre moins accessible à une stimulation directe. Il répondra donc à une stimulation indirecte, à travers la stimulation du mont de Vénus ou des lèvres, manuellement ou par la pénétration. L'aréole, entourant le mamelon, augmentera ultrérieurement de volume, allant jusqu'à marquer ou à cacher l'érection du mamelon. Il y aura plus tard engorgement et grossissement des lèvres, ainsi qu'un changement de couleur plus marqué. Ce changement de pigmentation est un signe certain de l'imminence de l'orgasme, si une stimulation efficace continue.

L'orgasme est le troisième stade du cycle sexuel. Une série de contractions rythmiques de la plate-forme orgasmique (le tiers externe du vagin et des tissus environnant) représente une des caractéristiques les plus apparentes de l'orgasme. Ces contractions se répètent approximativement aux huit dixièmes de secondes, pour diminuer graduellement. Le nombre de contractions varie suivant l'intensité de l'orgasme. Par ailleurs, la femme ne ressent généralement pas les contractions de l'utérus qui se produisent par vagues successives allant du haut vers le bas. Les changements corporels atteignent un sommet et la réaction musculaire s'accentue, pouvant entraîner une contorsion faciale, des spasmes musculaires des jambes et des bras, de l'abdomen et des fesses, ainsi qu'une contraction spasmodique des mains et des pieds. Ces réactions orgasmiques initient la décharge de la tension musculaire formée durant les phases d'excitation et de plateau. Elles provoquent également un relâchement du sang dans les régions engorgées, préludant ainsi la phase de résolution.

Le corps retrouve au cours de la résolution son état de repos normal. L'enflement des aréoles et la rougeur d'origine sexuelle se dissipent rapidement. Une pellicule de transpiration non reliée à l'étendue de l'effort physique peut se produire chez environ un tiers des femmes. Même s'il peut rester légèrement enflé, le clitoris retournera à sa position normale. La plate-forme orgasmique se relâche, le ballonnement des deux tiers internes du vagin diminue, et l'utérus ainsi que le col retournent à leur état initial et à leur position normale. La résolution prend environ une demi-heure s'il y a eu un orgasme. Sinon, le processus de résolution sera plus long (jusqu'à plusieurs heures), laissant ainsi la femme dans un état prolongé d'inconfort.

Quelle que soit la personne, sa séquence de réponses suit le même ordre, indépendamment du type de stimulation utilisé. Cependant, le processus d'excitation varie considérablement d'un individu à l'autre. Certains changements corporels se produiront dans un ordre différent, d'autres n'auront pas lieu, et enfin l'intensité des réactions différera selon les personnes. Ne vous inquiétez pas si votre propre cycle de réactions sexuelles ne suit pas exactement la séquence décrite plus haut. Cette description se veut générale et ne cadre pas parfaitement avec tout individu. Par contre, étant donné que chaque homme expérimente un point d'imminence éjaculatoire, il sera important d'apprendre à le reconnaître. Les femmes n'expérimentent pas le même phénomène. L'orgasme féminin peut être interrompu à n'importe quel moment.

Le point d'imminence éjaculatoire (point de non-retour)

Reconnaître le point de non-retour est la première étape dans l'apprentissage du contrôle éjaculatoire. Il s'agit du moment, quelques secondes avant l'émission du sperme, où le processus de l'éjaculation ne peut plus être arrêté — un point d'imminence éjaculatoire. Lorsqu'un homme a dépassé ce point, l'éjaculation NE PEUT PLUS être différée, ralentie ou arrêtée. Pour que l'éjaculation puisse être contrôlée, l'homme DOIT reconnaître le point d'imminence éjaculatoire et le moment précédant de quelques secondes ce point.

Plusieurs hommes prennent conscience des sensations naissant tout au long du processus sexuel et peuvent très facilement reconnaître le point de non-retour. D'autres, cependant, auront besoin d'une certaine pratique pour identifier ce point et le moment précédant de quelques secondes l'imminence éjaculatoire. Dans tous les cas, il existe des sensations physiologiques bien définies durant le processus d'éveil sexuel. Ces sensations permettent à presque tous les hommes, avec un minimum d'expérience, de reconnaître le point critique dans le processus sexuel.

La compression

Lorsqu'un homme s'aperçoit qu'il approche du seuil critique éjaculatoire, il devra immédiatement appliquer la technique de compression sur son pénis en pleine érection. La compression, qu'elle soit appliquée par l'homme lui-même ou par la femme, est essentiellement la même. Lorsqu'il a obtenu une érection complète et qu'il sent qu'il approche du moment qui précède le point d'imminence éjaculatoire, la compression est appliquée. Pour utiliser la technique de compression il s'agit pour le moment d'appliquer une pression sur le pénis aux points A, B et C, tel qu'illustré dans la figure 1. La pression est appliquée simultanément sur le frénulum (point

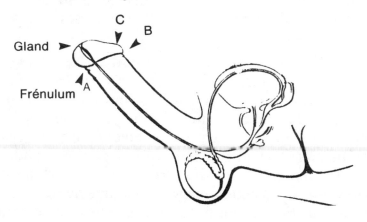

Couronne du gland

C B

Gland ►

Frénulum A

Figure 1. La compression

A dans la figure; partie du côté inférieur du pénis en regardant du haut vers le bas) et de chaque côté de la couronne du gland (points B et C; sur le côté supérieur, la couronne est la partie saillante de la tête juste au delà du corps du pénis). Peu importe quels doigts vous utiliserez pour compresser, l'important étant d'appliquer une pression ferme sur ces trois points.

La technique de compression est la même chez un homme circoncis ou non. Chez un homme non circoncis, la couronne du gland peut être perçue à travers le prépuce et les doigts peuvent être placés de façon appropriée sur les deux côtés. La position du frénulum peut être facilement localisable et les doigts placés au bon endroit.

L'homme s'appliquant la technique de compression lui-même sera probablement plus confortable s'il place un pouce juste devant la couronne du gland (C) et l'autre juste derrière (B), utilisant ainsi ses deux mains. Il placera deux doigts de l'une ou l'autre de ses mains sur le frénulum (A).

Lorsque les doigts sont en position, le pénis doit être compressé fermement, pour une période d'environ cinq secondes, jusqu'à ce que l'homme perde son envie d'éjaculer. Il peut aussi perdre une partie de son érection. Il est à noter que le pénis en érection est un organe extrêmement fort et résistant, qui ne peut être endommagé facilement. Dans des circonstances normales, le pénis ne sera pas endommagé si l'homme ne ressent pas de douleur. En fait, un pénis complètement en érection peut rarement être blessé par une compression telle que prescrite. Cependant, vous ne devez pas compresser une fois le processus d'éjaculation commencé. Le faire à ce moment-là serait inutile et peut-être douloureux. Un malaise apparaissant durant la compression doit être considéré comme un signal d'alarme! Il se peut que vous ayez procédé trop tard; la prochaine fois, essayez de compresser plus tôt et moins fort. Si la douleur persiste, ne recommencez pas avant d'avoir consulté votre médecin. Une fois la compression appliquée et l'envie d'éjaculer supprimée, attendez de dix à trente secondes supplémentaires avant de répéter la stimulation.

La pause

Maintenant que vous avez appris et appliqué avec succès la technique de compression pénienne, passons à une deuxième technique, connue celle-ci sous le nom de «pause» ou «d'arrêt-départ». Quoique ne produisant pas un effet aussi rapide que la technique de compression, elle requiert en revanche moins d'efforts physiques. Elle peut tout de même être très efficace si elle est adéquatement appliquée. Après les avoir expérimentées toutes deux, plusieurs personnes développent une préférence marquée pour l'une ou pour l'autre. Vous devez cependant maîtriser parfaitement les deux techniques avant d'arrêter votre choix, sinon votre jugement sera inapproprié.

La technique de la pause décrite dans ce chapitre est la version originale de celle développée par le Dr James H. Semans. Tout comme pour la compression, ce procédé implique une stimulation du pénis jusqu'au moment précédant le point de non-retour, seuil critique à partir duquel toute stimulation doit cesser. Cet arrêt de la stimulation peut également entraîner une diminution de l'érection. Or, comme nous l'avons déjà mentionné, la pause ne produit pas un effet aussi rapide et énergique que la compression; la stimulation doit donc être interrompue plus tôt que dans le cas précédent. Vous vous apercevrez sans doute que la pause doit être assez longue. Le temps d'arrêt requis reste difficilement estimable puisqu'il varie d'une fois à l'autre chez un même individu et, à plus forte raison, d'un individu à l'autre. Néanmoins, ce laps de temps se situe généralement entre quinze et soixante secondes, parfois davantage. L'important est de prolonger la pause jusqu'à ce que le besoin d'éjaculer disparaisse.

Exercice 1

Chacune des étapes comprend au moins deux types d'activités. Et pour vous permettre d'enclencher le processus le plus rapidement possible, la première étape en regroupera 4:

1) Session d'auto-masturbation pour l'homme.
2) Exercices de Kesel pour la femme.
3) Session d'échanges sexuels pour le couple.
4) Session de partage pour le couple.

Assurez-vous d'avoir lu la description de tous les exercices, mais vous n'avez pas besoin d'avoir terminé un type d'expérience avant de passer à un autre. En fait, il est préférable d'intercaler les différentes formes d'expériences.

A. Pour l'homme seul

Vous savez maintenant ce qu'est le point d'imminence éjaculatoire et vous connaissez également la technique de la compression et celle de la pause — toutes deux utilisées pour différer l'éjaculation. Vous avez également appris quand et comment recourir à ces deux techniques, par vos propres moyens, dans le processus d'excitation sexuelle. Il ne vous reste donc plus, dans cette étape, qu'à les pratiquer.

Session de pratique No 1 (3 compressions)

Vous devez trouver un moment et un endroit où vous pourrez être seul, sans risque d'être interrompu malencontreusement. Votre chambre à coucher, votre salle de bains, ou n'importe quelle autre pièce peut satisfaire à ces exigences. Lorsque vous serez prêt, commencez à stimuler votre pénis (à vous masturber). Concentrez-vous sur vos sensations tout au long du processus d'excitation sexuelle. Lorsque vous aurez une érection complète, arrêtez et vérifiez si vous savez appliquer la technique de compression. Si l'expérience est positive, poursuivez la stimulation jusqu'au moment PRÉCÉDANT le point de non-retour. Compressez alors fermement pendant environ cinq secondes, jusqu'à la disparition du besoin d'éjaculer. Il se peut que vous perdiez alors une partie de votre érection. Reposez-vous de dix à trente secondes et recommencez la stimulation. Répétez toute l'opération jusqu'à un total de trois compressions. Par la suite, si vous le désirez, vous pouvez recommencer et poursuivre jusqu'à l'éjaculation.

Lors de cette expérience, si vous compressez trop tard, le procédé ne produira pas l'effet escompté et il peut même, au contraire, vous stimuler à éjaculer plus rapidement. Pour cette raison et puisque l'homme a un nombre limité d'éjaculations dans une période de temps donné, IL EST PRÉFÉRABLE DE COMPRESSER PLUS TÔT QUE TROP TARD. Ainsi vous n'annulerez pas l'effet de vos sessions de pratique et ne différerez pas le résultat escompté. En outre, n'entreprenez pas la compression après avoir commencé à éjaculer. Ça vous serait d'aucune utilité et ça pourrait même être douloureux et nuisible.

Si vous compressez trop tard et êtes incapable de recourir à la compression avec succès trois fois avant d'éjaculer, répétez cette session JUSQU'À LA RÉUSSITE. L'atteinte de ce niveau de performance s'avère indispensable à la poursuite des exercices de la session No 2.

La sexualité de la plupart des hommes est orientée vers l'éjaculation. Ils se masturbent rapidement de façon à atteindre l'orgasme. En cours d'expérience, et même en général, vous pourrez réaliser qu'il est profitable et agréable de ralentir, de vous relaxer et de prendre plaisir au processus plutôt que de vous précipiter vers l'orgasme. Les hommes qui prennent leur temps découvrent souvent que leur plaisir augmente en conséquence.

La plupart des sensations et des stimulations tant appréciées des femmes peuvent également être très agréables pour les hommes qui ne sont pas trop gênés d'y recourir. Par exemple, vous pouvez d'abord prendre un bain chaud afin de vous relaxer. Ne vous pressez pas. Prenez-le lentement. Explorez doucement et entièrement votre corps avec vos doigts et vos mains. Regardez votre corps nu dans un miroir. Le corps d'un homme peut être aussi très attirant, autant que celui de la femme. D'ailleurs, il n'y a rien de mal à apprendre à se connaître davantage. L'emploi d'une lotion corporelle ou d'une huile à massage pour mieux vous stimuler est une excellente méthode également. Effectuez différentes sortes de caresses et différentes pressions sur tout votre corps. En d'autres termes, détendez-vous et expérimentez de nouvelles stimulations. Vous constaterez probablement que cette façon de vous masturber est plus sensuelle et plus excitante. En plus d'accroître votre plaisir en apprenant à ralentir le processus, à vous relaxer et à trouver plus de plaisir durant la masturbation, cela vous aidera à acquérir un meilleur contrôle sur l'éjaculation pendant la pénétration. Des recherches ont démontré qu'un homme éjaculant rapidement pendant la masturbation n'agira pas autrement au cours du coït.

Session de pratique No 2 (3 pauses)

Pour cette deuxième session, vous devez également trouver un endroit où vous pourrez être seul, sans être dérangé, pour un certain temps. Commencez à vous masturber et utilisez, si vous le désirez, du matériel érotique, de la lotion ou des huiles à massage pour augmenter votre excitation. Continuez la stimulation jusqu'à ce que vous sentiez approcher le point de non-retour. Arrêtez alors toute stimulation du pénis et faites une pause jusqu'à ce que vous ne sentiez plus le besoin d'éjaculer, reposez-vous un peu avant de reprendre la stimulation. Après avoir répété le même processus pour un total de trois pauses, vous pourrez poursuivre la stimulation et éjaculer si vous le désirez.

Tout comme dans le cas de la compression, arrêter la stimulation trop tôt est préférable à la poursuite de la stimulation jusqu'à la dernière seconde, le risque d'éjaculer augmentant alors considérablement. Si vous échouez une fois ou deux, ne vous inquiétez pas; la prochaine fois, vous saurez arrêter plus tôt.

Une fois les deux premières sessions de pratique réussies et si vous vous sentez confortable avec la compression et l'arrêt, vous pouvez vous dispenser de la session de pratique No 3. En revanche, si vous n'êtes pas entièrement à l'aise, il s'avère important de ne pas vous y soustraire.

Session de pratique No 3 (2 compressions et 2 pauses)

Dans cette session, vous pratiquerez les deux techniques que vous avez déjà apprises. Comme pour les deux sessions précédentes, vous vous masturberez jusqu'à ce que vous sentiez approcher le point d'imminence éjaculatoire. Arrêtez alors la stimulation et appliquez la compression pour environ cinq secondes, jusqu'à ce que vous ayez perdu l'envie d'éjaculer. Reposez-vous de dix à trente secondes et reprenez la masturbation. Répétez le procédé et employez la compression une deuxième fois. Recommencez de nouveau la stimulation et lorsque le point d'imminence éjaculatoire approchera, arrêtez-vous jusqu'à ce que vous ayez perdu l'envie d'éjaculer. Reposez-vous quelque temps et répétez une seconde fois l'exercice. Après deux compressions et deux arrêts, vous pouvez dès lors continuer jusqu'à ce que l'éjaculation s'ensuive.

Une fois cette session de pratique réussie, vous pouvez passer à la prochaine étape du programme. Soyez certain d'avoir eu vos sessions de partage de cette étape; si vous ne l'avez pas déjà fait, voir partie C.

B) Pour la femme seulement: exercices de Kegel

Cet exercice est optionnel. Nous l'incluons principalement parce qu'il peut accroître le plaisir de la femme durant la relation sexuelle et augmenter aussi son habileté à atteindre l'orgasme. Les femmes ne doivent pas se sentir obligées de faire cet exercice, toutefois celles qui décideront de le faire peuvent en attendre de bons résultats.

L'exercice de Kegel (du nom du médecin qui fut le premier à en découvrir les bienfaits sur la sexualité féminine) consiste à renforcer un groupe de muscles qui encerclent le vagin, dont le muscle principal, le pubococcygéen. Ce dernier encercle également l'urètre, canal permettant l'évacuation de l'urine. De plus, cet exercice permet d'avoir un meilleur contrôle urinaire, but premier de l'exercice, à l'origine. C'est plus tard qu'on découvrit que les femmes qui pratiquaient cet exercice atteignaient plus facilement l'orgasme.

Nous retrouvons quatre variantes de l'exercice impliquant toutes une alternance de resserrement et de re-lâchement du muscle pubococcygéen. Pour pouvoir procéder, vous devez d'abord être en mesure d'identifier le muscle qui va travailler, chose relativement facile puisque ce muscle contrôle également le passage de l'urine. Ainsi, pour l'identifier, asseyez-vous sur la cuvette dans la salle de bains, les jambes aussi écartées que possible. Commencez à uriner et interrompez le jet d'urine. Vous aurez alors contracté le muscle pubococcygéen. Voici les exercices proposés pour renforcer ce groupe de muscles!

1) Resserrement continu

Pour cet exercice, contractez les muscles pendant environ trois secondes. Relâchez et recommencez.

2) Contractions rapides et répétitives

Cet exercice est exactement comme le premier sauf que vous ne retenez pas la contraction. Contractez le muscle, relâchez et répétez.

3) Poussé

Pour ce troisième exercice, vous devez pousser vers l'extérieur avec le muscle. Contractez le muscle puis poussez de haut en bas vers l'extérieur des organes. Poussez environ trois secondes, relâchez et recommencez.

4) Succion

Contrairement à l'exercice précédent, vous devez contracter le muscle de bas en haut, comme si vous aspiriez de l'air ou de l'eau dans votre vagin. Retenez pendant environ trois secondes, relâchez et répétez.

Pour être utiles, ces exercices doivent être répétés régulièrement; nous vous conseillons de vous y exercer chaque jour. Vous devriez commencer avec environ vingt répétitions par jour, pour chacun des exercices, en augmentant graduellement jusqu'à ce que vous en fassiez environ cinquante. Commencez lentement dans la mesure de vos possibilités pour augmenter par la suite, dès que les muscles se renforceront. Si vous en entreprenez trop au début, cela risque d'être désagréable et de vous décourager. En effet, ces muscles, à l'égal de tous les autres muscles de votre corps, peuvent être endoloris.

Certaines femmes trouvent ces exercices excitants et deviennent lubrifiées en s'entraînant. D'autres ont simplement l'impression de faire de l'exercice. Chaque femme étant différente, ne vous inquiétez pas de ce que vous devriez ou ne devriez pas ressentir.

C. Pour le couple

Nous vous conseillons deux sortes d'exercices de couple au cours de cette première semaine, les deux étant très importants pour bien entreprendre le traitement.

1) Session de partage

Dans le premier exercice, nous vous demandons de vous asseoir ensemble, vous et votre partenaire, pendant environ vingt minutes. Durant cette période, éliminez les distractions: pas d'enfants, pas de compagnie, pas de télévision, pas de jeux, pas de journaux! Réservez ce moment pour vous retrouver et parler ensemble. Vous devriez avoir beaucoup à partager; vous pouvez, par exemple, échanger sur ce que vous avez appris jusqu'à présent dans ce livre, parler de vos espoirs et de vos attentes face à ce programme, ou encore de vos autres exercices. Vous pouvez également échanger sur d'autres sujets intimes mais non sexuels. Vous pouvez désirer vous rappeler des moments heureux que vous avez connus ensemble, ou planifier une sortie pour la fin de semaine, ou encore parler de votre amour l'un pour l'autre. Ce qui importe, c'est de s'asseoir et de consacrer du temps l'un à l'autre. Souvent, après un certain temps, les couples ne prennent plus la peine d'échanger et deviennent graduellement moins intimes et moins affectueux. Votre vie sexuelle s'améliorera si vous consacrez du temps CHAQUE JOUR à l'harmonie de votre couple, quelles que soient les activités d'ordre sexuel ou non.

Il est très important que vous évitiez d'employer ce temps pour vous plaindre à propos de griefs accumulés. Si vous avez besoin d'exposer vos insatisfactions, choisissez un autre moment, cet exercice étant destiné prioritairement au partage de chaleur et d'intimité.

Vous devez avoir au moins deux sessions de partage d'une durée minimale de 20 minutes, au cours de l'étape 1.

2) Sessions d'échanges sexuels

Lors de la prochaine série d'exercices, vous vous consacrerez à ce que nous appelons des «sessions d'échanges sexuels» ou de «sensibilisation corporelle» (Masters et Johnson); ou encore à des «sessions de caresses» comme les définissent certains couples. Ces exercices sont importants pour différentes raisons. Puisque l'appréciation du sens du toucher est intimement liée à la réponse sexuelle, un éveil aigu de ce sens s'avère extrêmement important, quel que soit le programme de traitement sexuel. On peut apprendre à se toucher mutuellement d'une façon communicative afin de parvenir à la richesse de l'expression sexuelle; pratiquement n'importe quelles sensations ou émotions peuvent être transmises au partenaire par le sens du toucher. Les exercices de sensibilisation vous aideront dans l'apprentissage de l'appréciation de ce sens, CHACUN DONNANT ET RECEVANT, à tour de rôle dans l'unique but d'en retirer du plaisir.

Plusieurs personnes ont perdu ou n'ont jamais éprouvé le plaisir pouvant dériver du simple fait de s'étendre, tout en se délectant d'être stimulé par son partenaire. Se faire stimuler est invariablement perçu comme une invitation à répondre et à caresser le partenaire en retour. Il n'y a aucun mal à vouloir répondre, mais le but de cette expérience est d'offrir l'opportunité à chaque individu de recevoir sans aucune autre pression. En fait, nous interdisons de caresser en retour le partenaire. Accueillez le plaisir et apprenez les types de toucher ainsi que les zones du corps particulièrement sensibles. Ainsi, vous pourrez expérimenter le plaisir et la stimulation d'une façon complètement égoïste, sans inquiétude ni préoccupation du plaisir de l'autre, jusqu'à ce que les rôles soient interchangés.

Pour plusieurs couples, n'importe quelle sorte d'activité sensuelle, que ce soit un massage ou simplement une session de caresses, vise habituellement à l'excitation, au coït et finalement à l'orgasme. Il n'y a aucun mal à cela mais, afin de rencontrer les buts de votre traitement, vous vous devez d'apprendre à apprécier l'expérience sensuelle pour elle-même, sans plus. En outre, votre «modèle» précédent d'activité sexuelle était habituellement lié à un but ultime de pénétration qui était pour le moins non satisfaisant. Par exemple, un éjaculateur précoce a souvent tendance à ne pas goûter aux caresses de sa femme puisqu'il est tendu à l'idée d'éjaculer trop vite et de ne pas satisfaire sa partenaire. Les exercices d'échanges sexuels sont valables puisqu'ils créent une expérience qui élimine la pression à la performance et aux buts finaux; au contraire, chaque partenaire, à son tour, aura la liberté de jouir des sensations agréables qu'il ou elle crée.

Nous n'insisterons jamais assez sur l'importance d'une bonne communication dans la vie d'un couple et ce, même sur le plan sexuel. Plusieurs personnes croient que leur conjoint(e) peut deviner ce qui les excite sexuellement, sans aucune information. Malheureusement, cette hypothèse est fausse la plupart du temps. Le recours à une communication claire et honnête est indispensable pour que les membres d'un couple sachent exactement les types de toucher et les endroits qui seront susceptibles de plaire à leur partenaire. Dans le cas contraire, il apparaît fort improbable qu'aucun des partenaires connaisse exactement ce qui fait le plus plaisir à l'autre. Souvent, on évite ce genre de communication de peur d'offenser l'autre en lui soulignant son ignorance face à ce qui nous fait plaisir. L'exercice d'échanges sexuels permet à chacun d'exposer à son conjoint, de façon claire et précise, ce qu'il ou elle trouve particulièrement bon et ce qui l'est moins. Chaque corps réagissant différemment, personne ne peut connaître automatiquement les réponses du corps d'une autre personne. Pour apprendre la façon de réagir propre à votre partenaire, une atmosphère de communication explicite et ouverte s'avère indispensable.

Ainsi dans l'étape 1, vous devez avoir au moins deux sessions d'échanges sexuels. Pour chacune, sélectionnez un moment et un endroit où vous serez assurés d'une intimité sans risque d'être interrompus. Évitez les moments de fatigue, de stress ou de tension. Veillez à ce que la pièce soit à une température agréable puisque vous devrez enlever tous vos vêtements. Un des deux commencera l'exploration du corps de l'autre. Vous pouvez masser ou caresser en utilisant une variété de mouvements et en explorant différents types de toucher. Une lotion corporelle ou une huile de massage peut être employée.

Au cours de cette première session, les stimulations dans la région génitale des deux partenaires et des seins de la femme doivent être EXCLUES. Pour l'instant, concentrez-vous sur les parties de votre corps que vous avez probablement négligées. Tentez de localiser les parties sensibles au plaisir. Durant la deuxième session, la caresse des seins sera permise. Cependant, même lorsque la région des seins pourra être explorée, vous devez continuer à porter votre attention sur la sensualité plutôt que sur l'excitation — essayez de déterminer ce qui est bon et plaisant, et non ce qui excite le plus facilement l'autre.

Pour se guider dans ses caresses, le partenaire actif doit être attentif aux indications verbales et non verbales du partenaire caressé. Tout doit être orienté de façon à ce que le partenaire donnant pourvoie au plaisir de l'autre et découvre les stimulations les plus agréables pour le partenaire recevant. De plus, il doit porter son attention sur le plaisir que lui procure le toucher. C'est à dessein que nous utilisons le mot «plaisir» plutôt que «excitation». En effet, durant cette session, l'attention ne doit pas s'orienter vers l'excitation. Si malgré tout vous devenez excité(e), c'est normal, mais ne tentez pas de le demeurer ou d'accentuer l'excitation. Réorientez votre attention sur le plaisir sensuel.

Celui(celle) qui reçoit la stimulation a une double responsabilité: faire connaître au donneur les touchers qui lui procurent des sensations particulièrement agréables et réorienter les caresses du donneur si celles-ci sont désagréables, irritantes ou distrayantes. En d'autres termes, le donneur a besoin d'indications afin d'être en mesure de différencier les sensations agréables de celles qui le sont moins pour le receveur. Formulez vos indications de façon positive. Par exemple, si une stimulation vous est particulièrement agréable, vous pouvez l'indiquer en disant quelque chose comme «Mmmm, c'est merveilleux» ou «C'est vraiment bon» au lieu de «Bon, tu fais enfin quelque chose qui est agréable». Si un type de stimulation ne vous plaît pas particulièrement, vous devez également le mentionner de façon claire. Par exemple, il peut être utile de dire quelque chose comme «Je préfère la caresse douce sur mes cuisses à la pression que tu exerces maintenant» ou «J'aimerais que tu exerces davantage de pression ici». Évidemment, il serait peu diplomate de dire «Tu me fais mal, espèce de brute» ou «Ne peux-tu pas être plus doux?» Les indications «non verbales» telles que «Ahhh, Ohhh, Mmmm» sont également bonnes, mais pas aussi précises puisqu'elles n'éclairent pas vraiment le donneur.

L'attention ne doit pas être orientée sur l'excitation sexuelle, mais plutôt sur l'effet de certains touchers concernant diverses zones corporelles. Chaque partenaire doit recevoir des stimulations pendant une période minimale de 15 minutes. Vous intervertirez les rôles lorsque vous serez prêts. Assurez-vous d'avoir pu bénéficier des deux conditions.

En résumé, voici le rôle de la personne caressée!

1) Se concentrer sur les sensations agréables tout en prenant conscience du type de toucher et des zones les plus sensibles du corps.

2) Communiquer à son partenaire son appréciation, de façon claire et positive.

Le partenaire donnant doit:

1) Se concentrer sur le plaisir que procure le toucher du corps d'un partenaire répondant.

2) Apprendre comment procurer le plus de plaisir en ayant recours à une variété de touchers sur différentes zones corporelles.

3) Préparer une expérience sensuelle en fonction du plaisir du partenaire.

Ces exercices ont été élaborés dans le but de procurer du plaisir, soit en jouissant des caresses de l'autre, soit en jouissant des caresses que l'on prodigue soi-même. Cependant, votre ouverture d'esprit et vos efforts jouent un grand rôle dans l'appréciation de ces sessions puisqu'ils déterminent si elles seront sensuelles, agréables et excitantes ou, au contraire, ennuyeuses et monotones. La décision vous appartient.

Difficultés possibles

Difficultés possibles dans l'exercice A

Pour l'homme

Vous pouvez éprouver certaines difficultés dans

l'expérimentation individuelle de l'étape 1. Mais si vous réussisez les exercices, ces problèmes ne doivent pas vous inquiéter outre mesure. Nous énumérerons ici certains des problèmes les plus fréquemment rencontrés!

1) Pour des raisons religieuses ou autres, la masturbation soulève, chez certaines personnes, de très fortes objections. Dans ce cas, il est permis à la partenaire de stimuler l'homme plutôt qu'il ne le fasse lui-même. L'exercice ne doit pas être modifié à moins que cela ne s'avère absolument nécessaire, puisque l'alternative proposée n'est pas aussi valable comparativement à l'exercice tel que décrit. En outre, il est possible que cette forme réussisse moins bien.

2) Vous n'aimez pas pratiquer la masturbation, voilà une plainte très courante. Dans notre culture, la plupart des hommes qui vivent en couple ne se masturbent qu'occasionnellement ou seulement lorsqu'une relation sexuelle avec partenaire est impossible. En général, la plupart des gens prétendent que la masturbation n'est pas aussi excitante que la relation sexuelle avec pénétration. Pour ces différentes raisons, plusieurs hommes ne trouvent guère agréables les exercices répétés de masturbation. Dans l'intention de rendre la masturbation plus excitante, ne vous concentrez pas seulement sur votre pénis; prenez votre temps, relaxez-vous et essayez différentes sortes de stimulation sur tout votre corps. Si cela ne rend pas la masturbation plus agréable, reconnaissez au moins que, pendant la première étape, elle constitue une partie importante du programme de traitement.

3) Suite au problème numéro 2, certains hommes éprouvent des difficultés à parvenir à une érection ou à

la maintenir durant la masturbation. Ceci va se présenter quelquefois durant ce programme et ne doit pas vous affecter. Des difficultés d'érection surgissent parfois parce que les sens sont engagés dans une forme d'activité sexuelle qui leur plaît moins ou simplement parce qu'elle a été prescrite. Dans ces circonstances, il paraît bien normal de ressentir des difficultés érectiles. Tout assortiment de matériel érotique est parfaitement acceptable pour créer l'excitation pendant l'expérience masturbatoire. Toutefois, si ce problème ne se présente qu'au cours de la masturbation, votre partenaire peut, à la limite, vous stimuler pour cet exercice; malheureusement, cette variante semble bien moins efficace. Par conséquent, n'y ayez recours qu'à moins d'une nécessité absolue. Si vous n'éprouvez aucun problème d'érection vous devez terminer l'exercice avant de poursuivre.

4) Certaines personnes évoquent un quatrième problème face à ce programme de traitement. Elles le considèrent trop artificiel ou trop clinique et déclarent que cela détruit certains plaisirs d'intimité naturels qui devraient être l'apanage de la sexualité. C'est vrai. Ce programme est artificiel et clinique, mais il doit être pris pour ce qu'il est — une méthode pour atteindre l'amélioration des activités sexuelles naturelles tout en les rendant plus agréables. En suivant ce programme, vous parviendrez éventuellement à des comportements sexuels plus intéressants et plus excitants. De plus, vous aurez la possibilité de jouir de ses avantages indéfiniment. Bien que ce programme soit structuré, il ne doit pas être ennuyant et mécanique, ni considéré comme une tâche. Vous devez vous détendre et apprécier ce que vous faites. La plupart des gens ne l'ont jamais fait et pourtant cela ne peut qu'améliorer votre répertoire d'activités et

votre plaisir sexuel. LE PLAISIR QUE VOUS ÉPROU-
VEREZ NE PEUT QU'ÊTRE LIMITÉ PAR VOTRE
CRÉATIVITÉ, PAR VOTRE DISPOSITION D'ES-
PRIT, OU PAR VOTRE DÉSIR DE RAPPROCHE-
MENT.

5) Vous pouvez ressentir certaines difficultés à reconnaître le point d'imminence éjaculatoire ainsi que le
moment critique précédant ce point, lors du processus
d'excitation. Si ce problème vous empêche de compresser ou d'arrêter suffisamment tôt, faites quelques sessions de masturbation supplémentaires pendant lesquelles vous tenterez uniquement d'identifier les sensations
suivant les différents stades. Lorsque vous reconnaîtrez
le point de non-retour ainsi que le moment critique le
précédant, vous pourrez alors compléter l'exercice tel
qu'il est décrit, utilisant la compression et l'arrêt. S'il
vous est impossible de reconnaître le point d'imminence
éjaculatoire, alors compressez ou arrêtez très tôt après
avoir eu une érection. N'attendez pas qu'il soit trop tard
pour utiliser l'une ou l'autre de ces techniques.

6) Si l'application de la compression ne fait qu'augmenter la stimulation du pénis et provoque l'éjaculation
plutôt que la différer, cela indique que vous compressez
trop tard. La prochaine fois, vous devriez compresser
plus tôt.

7) Si vous éprouvez de la difficulté à interrompre la
montée éjaculatoire en utilisant la technique de la pause,
c'est que vous arrêtez sans doute la stimulation trop
tard. Rappelez-vous que puisque la pause n'est pas aussi
énergique et rapide que la compression, vous devez arrêter encore plus tôt.

8) Parvenues à ce niveau, certaines personnes peu-

vent se décourager à cause d'un manque notable de progrès. Il n'y a aucune raison à cela. Vous ne faites que commencer et ne réussissez probablement pas encore à différer l'éjaculation à votre goût. Si vous y parvenez, c'est très bien, mais la grande majorité ne doit pas espérer un contrôle aussi rapide de l'éjaculation. Néanmoins, à l'aide de la compression ou de la pause, vous avez poursuivi la masturbation pour une période de temps plus longue que par le passé, ce qui confirme un progrès évident.

Encore une fois, si vous rencontrez l'une ou l'autre de ces difficultés, n'en soyez pas affecté outre mesure. Il y a fréquemment des problèmes qui surgissent mais ils n'entraveront pas votre progrès aussi longtemps que vous parviendrez à compléter avec succès vos exercices.

Difficultés possibles dans l'exercice B
Pour la femme

1) Vous pouvez avoir éprouvé certaines difficultés à identifier le muscle pubococcygéen. S'il est très faible, par exemple, vous pouvez avoir été dans l'incapacité d'interrompre complètement le jet d'urine. Cependant, vous réussissez sans doute à ralentir ou à arrêter brièvement le jet. Dans ce cas, vous utilisez le bon muscle, et savez maintenant qu'il a définitivement besoin d'être renforcé. Par contre, si vous ne pouvez réellement contracter aucun muscle ou altérer le jet d'urine, cet exercice n'évoquant rien de particulier pour vous, discutez-en avec votre gynécologue ou avec votre médecin de famille et voyez si on peut vous aider.

2) Vous avez identifié le muscle, mais vous éprouvez de la difficulté à distinguer clairement les quatre exerci-

ces. Par exemple, l'exercice demandant des contractions prolongées ressemble particulièrement à cet autre demandant un mouvement de succion. Ou encore, votre difficulté à contracter le muscle assez longtemps produit une confusion entre des contractions prolongées et des contractions rapides et répétitives. Quand le muscle deviendra plus fort, vous constaterez que chaque exercice diffère légèrement, mais au début concentrez-vous principalement sur la simple contraction répétée du muscle, peu importe la façon dont vous y parvenez. Essayez d'établir la différence entre les exercices lorsque vous progresserez à travers les étapes du programme.

3) Si vous ressentez de la douleur pendant l'exercice, il est possible que vous ayez froissé le muscle. Ce type de douleur arrivera lentement et sera ressenti comme une courbature, de la même façon que vos jambes peuvent être courbaturées après une excursion à pied. Dans ce cas, diminuez le nombre d'exercices quotidiens. Pour toute autre douleur, ou si la douleur persiste, consultez votre médecin.

4) Plusieurs femmes prennent connaissance de ces exercices et veulent les pratiquer fidèlement, mais elles les oublient. Si vous vous reconnaissez, essayez un des moyens suivants:

(a) Demandez à votre partenaire de vous les rappeler, et faites-les aussitôt qu'il vous y fait penser.

(b) Récompensez-vous pour vous en être souvenue, par exemple en vous payant une somme d'argent chaque jour. Dépensez cet argent pour des vêtements, pour des livres ou pour n'importe quoi d'autre qui vous fasse plaisir.

(c) Habituez-vous à faire cet exercice à un moment

précis de la journée, exactement comme vous vous brossez toujours les dents après le déjeuner. Par exemple, vous pouvez le faire quand vous prenez votre bain, ou lorsque vous allez au lit, ou aussitôt après le souper.

(d) Servez-vous de différents aide-mémoire. Vous pouvez afficher des messages sur votre bureau de travail, sur votre oreiller, collés sur votre réfrigérateur ou à tout autre endroit où vous êtes certaine de les voir au moins une fois par jour.

Difficultés possibles pour l'exercice C
Sessions de partage

Deux problèmes peuvent se présenter lors des sessions de partage. D'abord, vous pouvez les avoir oubliées pendant plusieurs jours ou les avoir mises de côté faute de temps. Vous pouvez également avoir eu des altercations ou même vous être querellés au cours des sessions.

1) Si vous éprouvez de la difficulté à planifier un horaire ou si vous oubliez simplement de faire les exercices, une aide visuelle peut être d'un grand secours. Achetez ou fabriquez un calendrier indiquant clairement chaque jour d'un mois. Un exemple d'un de ces calendriers apparaît à la figure 2.

Lors de votre prochaine session de partage, remplissez votre propre calendrier en y indiquant les moments les plus propices aux sessions de la semaine suivante. Exposez le calendrier quelque part où il attirera le regard, par exemple sur la porte du réfrigérateur. Après une session, prenez quelques secondes de plus pour analyser votre état d'esprit et votre réaction face à cette session. Puis encerclez cette étape sur le calendrier en indi-

Lundi	Mardi	Mercredi	Jeudi	Vendredi	Samedi	Dimanche
				1	2	3
4 Session de partage vacances #1 session de caresse #1	5 Masturbation #1	6 Session de partage #2 masturbation #2	7	8 Session de caresse #2	9 Masturbation #3	10
11	12	13	14	15	16	17
18	19	20	21	22	23	24
25	26	27	28	29	30	31

Figure 2.   Exemple d'un calendrier

quant brièvement ce dont vous avez parlé (ex: vacances, affections, fantaisies). Si vous remarquez, avant de vous coucher, que la journée n'est pas encerclée, prenez quelques minutes pour une session. Vous n'avez pas à y consacrer énormément de temps, juste suffisamment pour dialoguer avec la personne que vous avez probablement choisie pour partager votre vie.

2) Si vous vous disputez durant la session, voici deux choses que vous devriez faire. Premièrement, CESSEZ DE VOUS DISPUTER! Deuxièmement, pour vous aider, planifiez un autre moment pour exprimer les insatisfactions réellement importantes. Vous pouvez effectivement avoir besoin de trouver des solutions à vos problèmes, mais cela ne veut pas dire que vous deviez en discuter chaque fois que vous êtes ensemble. Il doit y avoir un temps dans votre vie pour résoudre les conflits, mais il doit également y avoir un temps pour partager chaleur et intimité — N'essayez pas de tout faire durant la même session!

Si une dispute éclate au cours de la session de partage et qu'il est impossible de l'arrêter, reportez la séance à plus tard. Une pause de quelques minutes, afin de vous calmer émotionnellement, peut souvent être très utile. S'il s'avère impossible de ne pas vous quereller durant ces sessions, planifiez la discussion sur un thème agréable et tenez-vous-en à ce thème. N'EN DÉROGEZ PAS.

Si vous vous enlisez encore et n'êtes simplement pas capables de réaliser une session sans dispute, vous devriez discuter de l'aide que pourrait vous apporter une consultation matrimoniale. Vous ne réussirez pas ce traitement à moins de pouvoir vous garder de disputes durant ces sessions de partage et de plaisir. Après une thérapie de couple, vous serez alors en mesure de poursuivre ce traitement.

Difficultés possibles pour l'exercice C-2
Sessions d'échanges sexuels

Certains problèmes surgissent souvent lors de la première session d'échanges sexuels. Ils sont habituellement causés par une difficulté de communication entre les deux partenaires, et ils seront éliminés lorsque vous aurez acquis plus d'expérience à communiquer vos sentiments. Nous exposerons ici les plaintes les plus courantes!

1) Vous pouvez avoir l'impression que votre partenaire ne répond pas adéquatement à vos désirs; il(elle) va trop vite, caresse trop fort ou pas assez fort, etc. Si vous avez de telles insatisfactions, NE CRITIQUEZ SURTOUT PAS VOTRE PARTENAIRE! Votre responsabilité dans ces exercices consiste à communiquer ce que vous désirez. Si vous n'êtes pas satisfait(e), soyez plus franc(he) et explicite à propos des sortes de toucher que vous aimez et des zones corporelles que vous privilégiez.

2) Si le temps ne vous permet pas d'avoir des sessions d'échanges sexuels décontractées, alors planifiez vos moments en conséquence pour la semaine suivante. Préparez votre horaire à l'avance (voir figure 2) et laissez-vous plus de temps. Vous pouvez également planifier des moments différents du jour ou de la semaine pour ces sessions. Tout comme lors d'un traitement avec un(e) thérapeute, vous devez vous accorder suffisamment de temps pour bien faire les exercices, sinon les résultats du traitement ne seront pas aussi bons.

3) Vous avez démontré trop de passion lors des séances et si vous avez caressé les seins ou les organes génitaux, cela signifie-t-il que vous ne pouvez pas considérer le plaisir dans sa dimension sexuelle autrement que selon vos vieilles habitudes? Si c'est le cas, rappelez-vous que ce n'est pas «sexuel» dans le sens habituel, mais plutôt SENSUEL. Vous devez apprendre à expérimenter le plaisir pour lui-même et vous éloigner de certaines considérations trop restrictives de la sexualité. Si vous considérez l'orgasme comme la seule chose importante, alors l'éjaculation rapide ne devrait pas être un problème pour l'homme — le plus vite sera le mieux! Vous devez ralentir tout le processus; ainsi, vous pourrez savourer une expérience sensuelle, plutôt que de vous précipiter vers une vie sexuelle expéditive et une éjaculation rapide.

4) Vous vous êtes endormi(e) au cours de la session d'échanges sexuels, alors évitez que cela ne se reproduise puisque vous n'apprendrez rien en dormant. En fixant l'horaire de vos sessions à des moments où vous serez réveillé(e) et en communiquant davantage PAR UNE AUGMENTATION DU NOMBRE D'INDICATIONS, vous contournerez le problème.

Étape I: résumé des exercices

1) Pour l'homme: Par deux ou trois sessions de pratique, l'homme se familiarisera avec les techniques de compression pénienne et de pause.

Première session: Après s'être masturbé jusqu'au point d'imminence éjaculatoire, l'homme utilisera la technique de compression pendant environ 5 ou 10 secondes. Repos de 10 à 30 secondes et répétition de l'opération jusqu'à un total de trois compressions durant cette séance, avant d'éjaculer.

Deuxième session: Identique à la première, mais utilisez la technique de la pause.

Troisième session: Identique à la première mais après deux compressions, utilisez deux fois de suite la technique de la pause.

2) Pour le couple

a) Deux sessions de partage

Discussion libre

b) Deux sessions d'échanges sexuels

1. Ne pas inclure les seins ou les organes génitaux dans les caresses. Concentrez-vous sur le plaisir, communiquez ce qui est bon et ce qui ne l'est pas, explorez différentes sortes de toucher sur tout le corps EXCEPTÉ LES SEINS ET LES ORGANES GÉNITAUX. Chaque personne doit donner et recevoir environ 15 minutes. Prenez plaisir à ce que vous faites.

2. Comme au 1, mais les seins peuvent être inclus dans les caresses.

* * * *Figure 2. Exemple d'un calendrier* * *

Chapitre 8

APPRENTISSAGE DE LA COMPRESSION PAR LA FEMME

L e bilan des acquisitions depuis le début du traitement est le suivant: l'homme connaît l'utilisation de deux techniques (la compression et la pause) pour retenir ou différer son éjaculation. De son côté, la femme connaît et pratique, si elle le désire, les exercices de Kegel. De plus, vous prenez le temps de vous rencontrer régulièrement afin d'échanger sur divers sujets intimes. En outre, au cours d'au moins 2 sessions, vous vous êtes pratiqués à donner et à recevoir des caresses dans un but purement sensuel, la première session excluant le toucher des seins et des organes génitaux, tandis que dans la deuxième la caresse des seins et des organes génitaux était permise. Enfin, un des objectifs visait à apprendre à communiquer votre appréciation des différentes stimulations.

Si vous n'avez pas rencontré tous ces objectifs, vous devez répéter les derniers exercices avant de poursuivre.

Soyez certains d'avoir réalisé avec succès toutes les modalités de chaque étape avant de passer aux suivantes.

LEÇON No 2

Cette session vise principalement à enseigner à la femme la technique de compression pénienne afin qu'elle soit en mesure de l'appliquer par la suite. Il est important d'employer ici la position d'entraînement au contrôle éjaculatoire puisqu'elle assure le confort de la femme et lui permet un accès facile aux organes génitaux de l'homme. Dans cette position, illustrée à la figure 3, la femme s'assoit, les jambes étendues, le dos appuyé contre le mur ou contre la tête du lit. L'homme est couché sur le dos, la tête près du pied du lit ou loin de sa femme. Les hanches de l'homme doivent se trouver entre les jambes de sa partenaire; il repliera ses jambes de chaque

Figure 3.   Position d'entraînement au contrôle éjaculatoire

côté de celle-ci. Durant cette session d'entraînement, l'homme doit s'installer confortablement sur le dos afin de recevoir les caresses de sa femme. Les deux partenaires doivent être nus. Une fois dans la bonne position, la femme devra stimuler les organes génitaux de l'homme ainsi que ses régions adjacentes, jusqu'à ce que celui-ci soit excité, le pénis complètement en érection. À ce moment, il enseignera la compression à sa partenaire, qui l'appliquera par la suite.

Lorsque la femme applique la compression, il est important que la pression soit exercée exactement aux trois points déjà mentionnés (voir fig. 1). Révisons rapidement: la pression est appliquée en même temps sur le frénulum, du côté inférieur du pénis, et de chaque côté de la couronne du gland sur le côté supérieur. Peu importe quels doigts vous utilisez, mais la pression doit être ferme et appliquée au bon endroit. La plupart des femmes, lorsqu'elles sont dans la position d'entraînement au contrôle éjaculatoire, trouvent plus facile et plus confortable de placer le pouce sur le frénulum tandis que l'index et le majeur de la même main se placent de chaque côté de la couronne du gland. Les doigts de l'autre main peuvent être superposés s'il s'avère nécessaire d'augmenter la pression.

Une fois les doigts dans la bonne position, la femme doit compresser fermement pendant une période d'environ 5 secondes, jusqu'à ce que l'homme ait perdu l'envie d'éjaculer. Il peut également perdre une partie de son érection. Il est important que la femme sache qu'un pénis en érection complète est un organe extrêmement fort et résistant qui ne peut être blessé facilement. Aussi longtemps que l'homme ne ressentira pas de douleur, le

93

pénis ne peut être endommagé. En fait, la plupart des hommes et des femmes ne peuvent endommager un pénis en érection par l'utilisation de la compression telle que décrite. Malgré tout, plusieurs femmes hésitent à compresser le pénis tel que décrit; l'homme doit donc encourager sa partenaire et la rassurer souvent, lui expliquant qu'il n'éprouve aucune douleur. Après avoir compressé, vous devez vous reposer de 10 à 30 secondes supplémentaires avant de stimuler à nouveau le pénis.

Exercice 2

A) Pour l'homme seulement: rien

B) Pour la femme seulement: exercices de Kegel (optionnel)

C) Pour le couple

1) Sessions de partage

Vous retrouverez des sessions de partage dans chacune des étapes de ce traitement; elles devront même se perpétuer lorsque vous aurez terminé le programme. En effet, ces sessions de partage peuvent faciliter de bonnes relations sexuelles en rendant votre relation plus intime et plus amoureuse.

Au cours de l'étape No 2, vous devez avoir au moins 2 sessions de partage d'une durée minimale de 20 minutes. Pour l'une d'entre elles, le sujet de conversation est libre mais pour l'autre, vous devez discuter spécifiquement de la façon dont votre partenaire s'y prend pour vous communiquer son affection. Par exemple, une femme peut apprécier se faire embrasser dans le cou (par contre, elle peut détester se faire pincer, ou vice versa). De la même façon, se laisser enlacer ou tenir la main de

son compagnon lors d'une promenade peut être vécu comme agréable ou désagréable. Malheureusement, il est fréquent que l'un ou l'autre et parfois même les deux ne sachent pas ce qui plaît à l'autre; ils utilisent alors des démonstrations d'affection plus ou moins appréciées (en pinçant les fesses, par exemple). Le partenaire (le conjoint) ne lit pas dans les pensées (ne fait pas de télépathie)! Échangez mutuellement sur ce que vous aimeriez comme gestes d'affection. Il ne s'agit pas de se plaindre, il s'agit seulement d'exprimer ce qui fait plaisir.

Ces conseils sont importants et méritent d'être pris en considération. La femme et l'homme doivent exprimer quels gestes d'affection ils aimeraient (recevoir). Quoique ces démonstrations d'affection ne doivent pas aller jusqu'à la relation sexuelle, les contacts physiques n'en sont certainement pas exclus.

2) Sessions d'échanges sexuels

Outre les sessions de partage, vous devez avoir 2 séances d'échanges sexuels ou chacun donne et reçoit les stimulations. Vous avez la liberté de négocier lequel stimulera le premier dans chacune des sessions. Rappelez-vous que lorsque vous êtes stimulé(e), vous ne devez pas caresser en retour. Plusieurs personnes, les hommes spécialement, ont oublié ou n'ont jamais pu apprécier le plaisir qui dérive du simple fait de savourer les caresses de leur partenaire. Ceci est particulièrement vrai pour les couples ayant développé l'habitude de ne pas stimuler l'homme en raison de son problème d'éjaculation précoce, de façon à prévenir une surexcitation et une éjaculation rapides. Même si ce n'est pas votre type de comportement, vous devez exploiter l'opportunité offerte d'apprécier les sensations et le plaisir d'être caressé sans vous inquiéter du plaisir de l'autre. Vous devez, bien sûr, être tous les deux nus dans un endroit confortable où vous ne serez pas dérangés pendant cette session.

L'étape 1 vous a probablement permis de prendre conscience de la différence entre plaisir sensuel et excitation sexuelle, lorsque vous portez attention à la sensualité. Dorénavant, vous pourrez orienter votre attention sur l'excitation sexuelle, et vous pourrez, par ailleurs, caresser les seins et les organes génitaux. Certaines des stimulations de votre partenaire peuvent vous être très agréables, mais elles doivent vous détendre et vous reposer davantage qu'elles ne vous excitent sexuellement. Dans le même sens, d'autres stimulations peuvent être très excitantes, alors qu'elles ne seraient pas particulièrement agréables dans d'autres circonstances — par exemple, lors d'une excitation intense, certaines personnes aiment être pincées très fort. Vous devez transmettre votre appréciation en indiquant de façon verbale ou non verbale (par des gémissements, par des grognements, par des sourires, etc.) les stimulations qui sont sexuellement excitantes et celles qui ne le sont pas; néanmoins, veillez à l'exprimer de façon positive. Chaque personne diffère en ce qui concerne son évaluation des caresses excitantes ou stimulantes, et une communication claire reste la seule méthode d'informer une autre personne.

La femme, lorsque c'est à son tour, doit bénéficier d'au moins 15 minutes du type de stimulations ou de caresses qu'elles désire. Le but de la stimulation peut être de l'amener à l'orgasme ou simplement de lui procurer une caresse sensuelle par de doux massages. L'important demeure que la femme choisisse exactement ce qu'elle désire et que l'homme le lui donne avec bonne volonté et amour. Bien sûr, la communication est importante pour guider l'homme vers des caresses qu'elle apprécie ou pour lui indiquer que la stimulation l'excite (au moment où elle la reçoit). Assurez-vous de prodiguer des caresses agréables à la femme. En effet, on porte ici beaucoup d'attention à l'homme, mais la femme ne mérite pas d'être laissée pour compte. De plus, si elle se sent exploitée ou frustrée, le programme ne sera probablement pas aussi efficace. En outre, plusieurs femmes rapportent qu'elles se sentent plus enthousiastes face au traitement lorsque l'homme exprime son appréciation à sa partenaire pour sa participation en lui témoignant sa reconnaissance ou mieux en lui manifestant de façon plus tangible son affection par un cadeau.

Session d'échanges sexuels No 1

L'objectif de cette session vise l'apprentissage de la technique de compression par le partenaire. Dans la position désirée, la femme commence la session en prodiguant des caresses sur tout le corps de l'homme de façon à le détendre. Après quelques minutes de ce genre de stimulation, elle prendra la position d'entraînement au contrôle éjaculatoire. Dans cette position, la femme doit être confortablement assise, le dos contre le mur ou contre la tête du lit; si elle le désire, elle peut se servir d'un oreiller pour se supporter. L'homme doit être étendu sur le dos, la tête loin de sa partenaire afin que cette dernière ait un accès facile et confortable à la région génitale. Une fois installée, la femme commencera alors la stimulation du pénis et de la région génitale. Si vous désirez rendre la stimulation plus facile et plus agréable, employez une lotion ou une huile corporelle. Encore une fois, PERSONNE ne peut savoir automatiquement quelle sorte de stimulations (caresses, frottements ou autres) en excitent une autre à moins que celle-ci ne le lui ait clairement signifié. Ainsi, la seule obligation de l'homme lorsqu'il est stimulé consiste à indiquer clairement à sa partenaire ce qu'il aime, ce qu'il trouve bon, et ce qui l'excite.

Lorsque vous serez confortablement installés dans la position d'entraînement au contrôle éjaculatoire, la femme commencera la stimulation du pénis et des parties génitales de l'homme. Pour l'enseigner à sa partenaire, l'homme s'appliquera lui-même les deux premières compressions (environ cinq secondes chacune) aussitôt qu'il aura une érection complète. De plus, la femme s'exercera à placer ses doigts dans la bonne position entre chaque compression et le début de la stimulation suivante. Lorsqu'elle aura bien intégré cette technique, elle recommencera à stimuler son partenaire à la différence que cette fois-ci et pour les deux prochaines compressions, ce sera ELLE qui compressera fermement aussitôt que l'homme sera parvenu à une érection complète. Plusieurs femmes hésitent à compresser fermement le pénis en érection; l'homme doit pourtant encourager sa partenaire et la rassurer aussi souvent qu'il en est nécessaire. Après la quatrième compression et un bref repos, l'homme peut désirer recommencer et cette fois-ci aller jusqu'à l'éjaculation. Il n'y a aucune objection à cela. Si l'homme éjacule, cela devrait nécessairement être le fait d'une stimulation manuelle du pénis, puisque LA PÉNÉTRATION N'EST PAS AUTORISÉE.

Session d'échanges sexuels No 2

Comme à la première session, lorsque c'est à son tour, l'homme doit recevoir des caresses sur tout le corps avant que vous ne passiez à la position d'entraînement au contrôle éjaculatoire. Une fois confortablement installés, la femme commence alors la stimulation du pénis et de la région génitale. Aussitôt l'homme parvenu à une érection complète, la femme applique la compression. Compressez environ 5 secondes et reposez-vous de 10 à 30 secondes supplémentaires.

Par la suite, la femme doit recommencer et prolonger la stimulation jusqu'à ce que l'homme signale qu'il est rendu au niveau précédant le point d'imminence éjaculatoire. A ce moment, elle doit appliquer aussitôt la compression. La femme doit compresser fermement (avec les deux mains si nécessaire), jusqu'à ce que le désir d'éjaculer ait disparu; l'homme peut également perdre une partie de son érection. Prenez alors un repos de 10 à 30 secondes avant de recommencer. Vous devez répéter le même processus pour un total de quatre compressions.

Cet exercice doit être recommencé aussi souvent qu'il le faudra pour le réussir facilement; vous pourrez par la suite passer à l'étape 3.

Difficultés possibles

Comme précédemment, il ne faut pas que les problèmes rencontrés lors de l'exécution des exercices de l'étape 2 vous inquiètent trop. Apprendre la différence entre plaisir et excitation sexuelle peut être délicat au début, le communiquer à votre partenaire peut l'être davantage! Ne vous découragez pas, les difficultés n'entraveront pas votre progrès aussi longtemps que vous parviendrez à compléter avec succès les exercices et réussirez à donner un certain «feedback» positif à votre partenaire. Voici quelques difficultés fréquemment rencontrées.

1. Certains (hommes ou femmes) n'aiment pas que la stimulation soit concentrée sur les parties génitales de l'homme. Voici qui ne nous surprend guère, puisque la plupart des couples qui fonctionnent bien préfèrent les échanges simultanés et les caresses distribuées sur le corps en entier. Au cours de cet exercice, la stimulation n'a pas à être concentrée (uniquement) sur le pénis. Toute région pouvant être atteinte confortablement par la femme peut être stimulée. La stimulation peut être de n'importe quelle nature, pourvu que l'homme la trouve plaisante, confortable ou excitante. De plus, la position employée est une position (D'ENTRAÎNEMENT, — que vous utilisez TEMPORAIREMENT de façon à acquérir un plus grand contrôle éjaculatoire. Par conséquent, il s'agit d'un moyen pour atteindre votre but: soit augmenter votre plaisir sexuel dans le futur.

2. Certains hommes peuvent ne pas parvenir à une excitation aussi intense qu'ils l'auraient souhaité. Tout homme à tout moment peut connaître cette difficulté; cela ne doit pas être une source de tracas à moins que cela n'arrive fréquemment, sur une très grande période de temps. D'ailleurs, tous les hommes expérimentent occasionnellement ce genre d'incident. Le fait que cela se produise au cours de cet exercice peut être simplement une coïncidence, ou parce que l'exercice a été prescrit. Par ailleurs, les gens qui transforment les sessions d'échanges sexuels en séances uniquement de massages formulent souvent cette plainte. En effet, ils finissent par se sentir détendus mais pas particulièrement excités. Si c'est votre cas, essayez d'accorder plus d'attention à l'ex-

100

citation. Vous pouvez essayer d'avoir plus de variété: utilisez certaines caresses douces avec pétrissage ou avec un massage plus profond; explorez l'intérieur des cuisses, du corps, des fesses, etc. Il existe plusieurs parties érogènes autres que les seins et les parties génitales; il peut être nécessaire que vous exploriez votre corps sous d'autres angles de façon à découvrir les endroits qui vous excitent. Du reste, un manque d'excitation peut arriver à n'importe quel moment si vous ne vous sentez réellement pas dans l'ambiance d'une activité sexuelle; ne vous en inquiétez pas outre mesure, excepté s'il en est toujours ainsi. Dès lors, vous pouvez désirer consulter un spécialiste en thérapies sexuelles.

3. «Tout va bien.» Parfait, veillez tout de même à communiquer votre appréciation car votre comportement peut provoquer un sentiment de maladresse ou de médiocrité chez votre partenaire, si vous ne le lui communiquez pas bien. Soyez certain de lui donner tout le «feedback» nécessaire, même si ce n'est que pour dire combien c'est bon. Il serait tout de même préférable que vous puissiez lui fournir des indications très spécifiques. Par exemple: «WOW! c'est fantastique quand tu me touches comme ça!» ou: «J'aime beaucoup me faire caresser les cuisses!» Voilà des formules efficaces pour communiquer votre appréciation de ce qu'il (elle) fait.

4. «Certaines sessions ont été fantastiques, mais une (ou deux) n'a vraiment pas été bonne.» C'est tout à fait normal et vous ne devez pas vous en inquiéter. Voilà une des réalités de la sexualité que tout le monde connaît, incluant les couples qui n'ont aucun problème sexuel et qui sont très excités l'un envers l'autre. Chacun vit de mauvaises journées pour différentes raisons; peut-être

étiez-vous fatigué(e), ou préoccupé(e), ou vous n'avez simplement pas aimé le repos, etc. Acceptez le fait et ne commencez pas à vous inquiéter pour si peu. Une mauvaise séance ne doit pas être ressentie comme un échec, seulement comme une expérience naturelle. La prochaine session que vous aurez ressemblera probablement aux bonnes séances, et non pas à la mauvaise.

Étape 2: résumé des exercices

1) Pour l'homme seulement: Rien

2) Pour la femme seulement: Exercices de Kegel (optionnel)

3) Pour le couple

A) Deux sessions de partage de 20 minutes chacune

1. Dans l'une, discussion des démonstrations d'affection. Chacun discute de ce qu'il (elle) aime recevoir comme gestes d'affection.

2. Sujet de votre choix.

B) Deux sessions d'échanges sexuels

Dans chacune le partenaire doit recevoir les caresses pendant au moins 15 minutes. Quand c'est au tour de l'homme de recevoir, suivez les instructions suivantes:

1. Commencez par une sensibilisation corporelle brève, puis prenez la position d'entraînement au contrôle éjaculatoire, dans laquelle la femme stimulera le pénis et la région génitale de l'homme. Quand l'érection est complète, l'homme compresse environ 5 secondes pour montrer à la femme comment faire. Puis elle pratique comment placer ses doigts. Repos de 10 à 30 secondes. Répétez. Recommencez la stimulation. Aussitôt

que l'érection est complète, la femme compresse. Répétez jusqu'à ce qu'elle ait compressé deux fois. Chaque partenaire doit appliquer la compression deux fois.

2. Après des caresses générales pour l'homme, prenez la position d'entraînement au contrôle éjaculatoire. La femme stimule l'homme et compresse aussitôt qu'il a une érection complète. Reposez-vous, et recommencez la stimulation. Au moment précédant le point d'imminence éjaculatoire, elle compresse encore. Reposez-vous, puis répétez pour une troisième et une quatrième compression.

Au total: Une pratique de la compression et trois compressions avant le point de non-retour.

Chapitre 9

APPRENTISSAGE
DE LA TECHNIQUE
DE LA PAUSE EN COUPLE

Une progression évidente a déjà été accomplie. En effet, vous vous acheminez définitivement vers une amélioration de votre contrôle éjaculatoire. À ce moment-ci du programme, vous devriez avoir amélioré vos connaissances de votre propre sexualité ainsi que celle de votre partenaire. En outre, vous devriez avoir appris de nouvelles façons de vous stimuler et de vous exciter mutuellement. Le partenaire féminin peut maintenant appliquer la compression sur le pénis et il a eu l'occasion de se pratiquer plusieurs fois. De plus, vous deviez poursuivre les sessions de partage qui doivent maintenant faire partie intégrante de votre vie. Enfin, vous connaissez aussi les gestes d'affection appréciés par votre partenaire. D'ailleurs, vous les utilisez dorénavant dans votre vie de tous les jours.

Assurez-vous d'avoir atteint tous ces objectifs avant d'entamer la leçon 3, sinon recommencez les exercices de l'étape précédente.

Votre rythme, dans ce programme, doit être au minimum d'une étape par semaine. Si vous ne vous imposez pas cette cadence, le traitement sera probablement fastidieux; il risque de devenir ennuyeux et, par conséquent, de vous faire perdre tout intérêt.

LEÇON No 3

Lors de l'étape 3, vous répéterez essentiellement le même exercice qu'à l'étape précédente, mais cette fois-ci ce ne sera pas la compression mais plutôt la technique de la pause que vous utiliserez. Vous vous en souvenez, la pause, dans ce contexte: signifie un arrêt de toute stimulation du pénis jusqu'à ce que l'envie d'éjaculer et peut-être aussi une partie de l'érection disparaissent. En revanche, rappelez-vous que la pause n'est pas aussi puissante que la compression et n'interrompt donc pas la montée éjaculatoire aussi énergiquement ou aussi rapidement. Par conséquent, vous devrez interrompre la stimulation plus tôt que lors de la compression. Ne prenez pas de chance si une erreur doit être commise mieux vaut que ce soit par un excès de prudence en arrêtant trop tôt qu'en arrêtant trop tard.

Exercice 3

A) Pour la femme: Exercices de Kegel (optionnel)

B) Pour le couple

1) Sessions de partage

Comme tout au long du programme, vous aurez

deux sessions de partage dans cette étape. L'une des deux doit porter sur l'initiation et le refus des relations sexuelles. Dans cette discussion, vous devez d'abord faire un retour dans le temps et revoir votre façon coutumière d'initier et de refuser les demandes sexuelles, vous arrêter à la stratégie que vous employez pour faire savoir à votre partenaire que vous aimeriez faire l'amour ou que vous aimeriez vous engager dans d'autres types d'activités sexuelles. Ou encore pour dire que les activités sexuelles proposées ne vous intéressent pas. Plusieurs personnes, lorsqu'elles ont envie de relations sexuelles, expriment leur désir de façon vraiment trop vague, possiblement parce qu'elles sont embarrassées ou craignent un refus. Vous serez peut-être étonné(e) d'apprendre que vous avez essuyé certains «refus» alors même que votre partenaire n'a pas réalisé votre demande.

Après ce retour, discutez de vos préférences et des améliorations à apporter en ce qui concerne ces deux aspects. Voyez comment vous pouvez éviter d'être trop vague, ou éviter de «refroidir» l'ardeur de votre partenaire lorsque vous souhaitez une relation sexuelle. Il est habituellement très avantageux de communiquer à l'autre la formule que vous préférez et celles que vous n'aimez pas.

Les demandes sont plus efficaces si leur formulation est claire et explicite, puisque les deux partenaires sauront exactement ce qui est suggéré. Voici deux types d'approches souvent utilisées mais qui ne sont vraiment pas très claires. Dans la première, l'un des deux, habituellement l'homme, s'approche et embrasse sa partenaire ou l'entoure de ses bras. Par cette attitude non verbale, le partenaire ne sait jamais si l'initiateur exprime son amour, désire se montrer affectueux ou veut faire l'amour. L'autre façon, ne donnant pas de meilleurs ré-

sultats, peut prendre cette forme: «Va-t-on se coucher?»
Par ce moyen, il n'apparaît pas évident que l'initiateur
veut avoir une relation sexuelle ou qu'il est fatigué et
veut dormir. Les bonnes demandes sont claires tout en
exprimant l'affection et l'amour. Par exemple: «Veux-tu
faire l'amour?» est clair. Mais «Tu es si belle (ou gentil,
ou sexé, etc.) ce soir. Peut-on aller au lit et faire l'a-
mour?» est encore mieux. Une demande n'a pas besoin
d'être formulée dans un bon français, ni longuement élaborée. Par exemple, si chacun SAIT que la formule utilisée exprime l'envie d'une relation sexuelle, c'est qu'elle
est très claire et très explicite.

Malheureusement, pour plusieurs, certains procédés
utilisés leur enlèvent tout goût de faire l'amour. Évidemment, vous devez en discuter et les éviter. Par exemple,
une femme peut savoir que lorsque son mari lui donne
des baisers sur les oreilles, cela signifie qu'il veut faire
l'amour. Par contre, elle peut être chatouilleuse des oreilles, ce qui la rend secrètement choquée au lieu d'apprécier le fait d'être embrassée de cette façon. Par ailleurs,
une femme peut aimer entreprendre une relation sexuelle en disant: «On fait l'amour ce soir?» Quoique plusieurs apprécient cette sorte d'approche directe et familière, d'autres la détestent sans que le partenaire en soit
conscient. Comme pour tous les autres aspects des relations sexuelles, il est préférable que les deux soient conscients de ce que l'autre aime ou n'aime pas, et que chacun respecte le désir du conjoint. Évidemment, la seule
façon de le savoir est d'en avoir discuté ouvertement au
préalable.

Lors de cette session de partage, vous devez aussi
confier à votre partenaire la façon la plus acceptable de

refuser une relation sexuelle. Pour la plupart des gens, il est beaucoup moins pénible de se voir refuser une relation sexuelle que de se voir écarter en tant qu'individu. Une bonne façon de signifier son refus est de laisser clairement savoir au partenaire qu'on n'est pas dans l'ambiance d'une relation sexuelle, de lui en donner les raisons précises, et de lui laisser entrevoir qu'on aura une attitude plus réceptive à un autre moment. Ainsi vous ne direz pas «Je ne veux pas faire l'amour AVEC TOI», mais plutôt quelque chose comme: «Je n'ai pas envie de faire l'amour en ce moment parce que je suis absorbé par un problème dont je cherche la solution, mais j'aimerais faire l'amour quand j'aurai fini ceci.»

Essayez d'utiliser ce mode d'expression lorsque vous planifiez vos sessions d'échanges sexuels. De plus, si votre partenaire applique ce que vous lui avez suggéré, ou si elle (il) cesse de procéder d'une façon que vous n'aimez pas. TRANSMETTEZ-LUI VOTRE APPRÉCIATION!

2. Sessions d'échanges sexuels

À l'étape 3, vous répéterez les mêmes exercices que vous avez appris au cours de l'étape précédente mais, cette fois-ci, vous utiliserez la technique de la pause pour différer l'éjaculation. Encore une fois, lors de vos sessions d'échanges sexuels et après avoir déterminé ensemble les rôles de départ, celui ou celle qui reçoit les caresses peut s'étendre sur le dos et se relaxer pour pouvoir mieux apprécier les sensations. Dans cette position, ne vous préoccupez pas de stimuler votre partenaire en retour; votre seule obligation consiste à lui communiquer clairement ce que vous appréciez ou n'appréciez pas, et quel est le genre de stimulation que vous aimeriez recevoir. Vous devez être nus tous les deux, dans un endroit tranquille, sans risque d'être dérangés. De la même façon, la femme doit toujours choisir le type de stimulations ou de caresses lorsque vient son tour de recevoir. Il est important qu'elle se voit également attribuer certains bénéfices pour sa participation. Essayez de rendre les sessions agréables, qu'elles soient une façon plaisante d'exprimer votre amour l'un pour l'autre plutôt que de rendre les exercices ennuyeux, monotones et expéditifs.

Lorsque c'est son tour, l'homme doit d'abord être stimulé sur tout le corps. N'importe quelle position peut être sélectionnée pourvu que vous soyez tous les deux à l'aise. En effet, cette semaine, vous n'avez pas à utiliser la position d'entraînement au contrôle éjaculatoire. Elle a été prescrite la semaine précédente parce que plusieurs couples la trouvent confortable et considèrent qu'elle permet un accès facile à la région génitale de l'homme. Néanmoins, si vous choisissez une autre position, la partenaire doit encore atteindre facilement et confortablement la région génitale de son compagnon. L'homme, quant à lui, doit encore être étendu sur le dos et il doit orienter son attention sur l'excitation grandissante. Chacun doit se confiner à son rôle sans essayer de caresser lorsqu'il est stimulé. Après des caresses réparties sur tout le corps, la femme commencera la stimulation du pénis et de la région génitale.

Une fois confortablement installés, la femme doit commencer la stimulation du pénis jusqu'à ce que l'homme sente qu'il est près du point précédant le moment d'imminence éjaculatoire. Souvenez-vous que la pause n'interrompra pas aussi rapidement que la compression la montée de l'éjaculation: l'homme doit donc

le prévoir et considérer que le seuil critique viendra plus tôt. Ainsi, lorsque vous aurez reconnu ce seuil critique, toute stimulation du pénis doit alors cesser. Une fois l'envie d'éjaculer et possiblement une partie de l'érection supprimées, reposez-vous de 10 à 30 secondes avant de recommencer la procédure. Stimulez l'homme jusqu'à ce qu'il atteigne le seuil critique, arrêtez-vous de nouveau jusqu'à ce que le désir d'éjaculer ait disparu. Reposez-vous quelques secondes de plus avant de reprendre pour faire une troisième pause. Par la suite, l'homme pourra éjaculer s'il le désire.

Vous devez vous prévaloir de cette procédure dans un minimum de deux sessions d'échanges sexuels OU jusqu'à ce que vous soyez à l'aise et puissiez réussir à utiliser la pause pour différer l'éjaculation.

DIFFICULTÉS POSSIBLES

Vous expérimenterez probablement certains problèmes mineurs lorsque vous exécuterez les exercices de l'étape 3. Toutefois, aussi longtemps que vous serez capables de compléter les exercices, ces difficultés mineures ne devraient pas vous tracasser. Voici les problèmes généralement rencontrés à ce stade du programme:

1) La pause n'a pas interrompu la montée éjaculatoire aussi efficacement que la compression. Comme elle n'est pas aussi énergique ou rapidement efficace que cette dernière, il s'avère donc nécessaire d'arrêter la stimulation encore plus tôt. Si l'homme éjacule alors même que vous avez cessé toute stimulation du pénis, cela signifie que vous avez probablement arrêté trop tard. De plus, il vous faudra peut-être faire une pause d'assez longue durée (pouvant aller jusqu'à plusieurs minutes), de

façon à prévenir l'éjaculation. Si c'est le cas, ne vous découragez pas. La longueur de l'arrêt diminuera avec la pratique.

2) À ce stade du traitement, plusieurs couples se posent la question: la pause va-t-elle être efficace lors de la pénétration? Même si la question est soulevée un peu plus loin, la réponse est généralement «oui» — pourvu, bien sûr, que vous poursuiviez consciencieusement le programme d'entraînement décrit dans ce volume.

3) Plusieurs personnes ont déjà développé une préférence, soit pour la compression, soit pour la pause. Même si éventuellement vous serez capables d'interrompre la montée éjaculatoire en utilisant l'une ou l'autre de ces techniques, il est encore trop tôt dans le programme pour commencer à utiliser une seule d'entre elles. Vous devez continuer à pratiquer la compression et l'arrêt tels que demandés.

4) Si vous avez remarqué une plus grande fréquence de querelles ou une plus grande tension qu'en temps ordinaire, vous devez réaliser qu'il y a de bonnes raisons à cela. Lorsque vous travaillez sur ce programme, vous faites probablement face tous les deux à certains changements, vous vous sentez possiblement quelque peu inconfortables et maladroits puisque vous faites ensemble des activités sexuelles que vous n'avez pas l'habitude de faire. Le seul fait de vous trouver dans une telle situation peut créer certaines tensions et provoquer des disputes. Si tel est le cas, chacun de vous doit le réaliser et respecter la tension ressentie par l'autre. Surtout, soyez tolérant l'un envers l'autre.

5) Certains couples peuvent trouver qu'ils se disputent trop durant la session de partage ou lors des exerci-

ces sexuels. Dans ce cas, relisez la section des difficultés possibles des deux premières semaines.

Résumé des exercices

1) Pour la femme: Exercices de Kegel (optionnel)

2) Pour le couple

A) Deux sessions de partage

1. Discussion sur la façon de souhaiter et de refuser les relations sexuelles.

2. Sujet de votre choix.

B) Deux sessions d'échanges sexuels

Dans chaque session, chacun donne et reçoit. Lorsque l'homme reçoit, vous devez:

1. Commencer par une brève période de sensibilisation corporelle, puis la femme caressera ensuite la zone génitale — dans la position désirée. Lorsque l'homme ressentira le point d'imminence éjaculatoire, utiliser la technique de la pause. Répéter pour un total de trois pauses.

2. Comme au 1.

Chapitre 10

UTILISATION DE LA COMPRESSION APRÈS UNE STIMULATION COÏTALE

V ous avez eu jusqu'ici l'occasion d'utiliser la pause, à plusieurs reprises, pour différer l'éjaculation, et vous avez maintenant expérimenté les deux méthodes proposées pour y parvenir: la compression et la pause. De plus, depuis le début de ce traitement, vos activités sexuelles avec votre partenaire se sont probablement épanouies. Si vous continuez à utiliser ces nouvelles techniques une fois le programme terminé, vos relations sexuelles continueront à s'améliorer. Enfin, vous devez maintenant connaître les types de demandes et de refus que votre partenaire préfère et vous avez d'ailleurs commencé à les utiliser. Ne poursuivez pas ce programme avant d'avoir atteint tous ces objectifs.

LEÇON No 4

Vous êtes maintenant prêts à passer à l'étape de l'intromission insertion du pénis dans le vagin. Évidemment, pour réussir cet exercice, vous aurez besoin de mettre en pratique l'habileté déjà acquise. De plus, il sera nécessaire d'employer la position du «cavalier» (femme en position supérieure) qui vous sera décrite brièvement.

Nous l'avons déjà mentionné, plusieurs couples aux prises avec le problème de l'éjaculation précoce négligent les préliminaires afin de maintenir le niveau d'excitation de l'homme le plus bas possible. Ils espèrent ainsi que le coït durera plus longtemps. Il existe également une autre technique défaitiste souvent utilisée: l'homme (avec peu ou pas du tout de stimulations directes pour lui-même) stimulera oralement ou manuellement sa partenaire jusqu'à ce qu'elle soit tout près de l'orgasme. Dès lors, il y aura pénétration, la femme faisant aussitôt des mouvements de va-et-vient très rapides, essayant de parvenir à l'orgasme avant l'homme. Or, habituellement, cette «course» n'avantage pas le contrôle éjaculatoire. Au contraire, la stimulation répétée provenant des mouvements vigoureux de la femme a plutôt l'effet de conduire l'homme à une éjaculation encore plus rapide.

Que vous utilisiez ou non l'une ou l'autre de ces techniques, cette leçon vous donnera à tous deux l'occasion de prendre plaisir aux sensations que produit la présence du pénis dans le vagin — avec peu ou pas de mouvements. Plusieurs couples, même s'ils n'éprouvent pas de problème d'éjaculation précoce, n'ont jamais eu l'occasion d'apprécier ces sensations agréables. Outre ces avantages, cet exercice se révèle être une partie impor-

116

Figure 4. Position du cavalier

tante de votre programme de «réapprentissage»; il vous rapproche, graduellement, d'une pénétration régulière — votre principal objectif.

Comme il a déjà été mentionné, vous devez connaître, pour cette leçon, la position dite du «cavalier». Cette position réfère uniquement au fait que la femme est sur l'homme; ce terme peut donc être appliqué à une multitude de postures. La position du cavalier présentée à la figure 4 est une variante particulière qui donne à la femme un maximum de contrôle sur le mouvement de son corps, lui permettant de se déplacer tout le long du pénis avec la plus grande aisance. Pour cette position, l'homme s'allonge sur le dos et la femme s'assoit à califourchon, une jambe de chaque côté du corps de l'homme. Les jambes de la femme doivent être repliées vers ses hanches. Elle se trouve ainsi littéralement agenouillée par-dessus le corps de l'homme. De cette façon, elle peut facilement abaisser ou relever son corps afin de permettre l'entrée ou le retrait du pénis dans le vagin.

En général, l'intromission en soi procure autant sinon plus de stimulations du pénis que ne peut en apporter le mouvement de va-et-vient lui-même. De la même façon, le retrait procure habituellement au pénis une stimulation intense. Par conséquent, et de façon à utiliser la compression avec succès, il s'avère nécessaire de compresser plus tôt que lorsque vous utilisiez le compression sans pénétration. C'est que le surplus de stimulations provoqué par le retrait conduira probablement l'homme plus loin que le point d'imminence éjaculatoire. Si cela se produit, la compression n'empêchera pas l'éjaculation. Rappelez-vous que vous ne devez pas compresser une fois l'éjaculation commencée.

A) Pour la femme: exercice de Kegel (optionnel)

B) Pour le couple

1. Sessions de partage

Encore une fois, vous aurez au moins deux cessions de partage dans cette étape. Elles s'étendront sur une durée minimale de 20 minutes chacune. Dans l'une de ces sessions, vous devez échanger vos réactions face à ce programme. Il y a probablement certains changements que vous appréciez tous les deux; en revanche, peut-être êtes-vous intéressés à avoir des relations sexuelles coïtales et peut-être aussi êtes-vous un peu anxieux à l'idée de revenir à la pénétration. Il serait bon d'échanger vos impressions afin de dissiper toute incompréhension ou tout problème. À plusieurs reprises nous avons parlé du rôle de la femme comme étant un élément important de ce programme. En effet, si elle se sent manipulée ou délaissée, vous devez définitivement en discuter. Le programme engendre certes beaucoup de stress, et la femme peut être particulièrement ennuyée du surplus d'attention qu'on porte à la sexualité de l'homme. Bien sûr qu'on doit lui accorder beaucoup d'attention si l'on veut qu'il brise son habitude d'éjaculer rapidement. Ce programme essaie tout de même d'accorder une grande importance au rôle joué par les deux partenaires. Et si la femme réalise qu'elle donne plus qu'elle ne reçoit, vous devez corriger cette inégalité en lui procurant davantage de plaisir lors des sessions d'échanges sexuels.

2. Session d'échanges sexuels

Vous devez décider ensemble quels seront les rôles de départ pour chacune des deux sessions d'échanges sexuels. De plus, vous devez être tous les deux nus dans un endroit tranquille. Lorsque la femme reçoit les caresses, elle doit pouvoir bénéficier pendant au moins 15 minutes de n'importe quel type de stimulation (sexuelles, sensuelles ou autres) qu'elle a choisies.

Au risque de nous répéter, lorsque l'homme est stimulé, il ne doit pas faire de tentative pour exciter ou stimuler en même temps sa partenaire. De plus, il ne doit y avoir aucune tension ou demande de performance à son endroit. Il doit s'étendre sur le dos, se relaxer et laisser les choses suivre leur cours. Pour l'homme, cette expérience débutera par quelques minutes de caresses sur tout le corps. Par la suite, la femme stimulera la région génitale dans une position confortable. Comme pour les étapes précédentes, au moment où l'homme sent qu'il s'approche du point d'imminence éjaculatoire, la stimulation doit cesser et la compression entrer en jeu. Une fois le besoin d'éjaculer passé et possiblement une partie de l'érection disparue, reposez-vous de 10 à 30 secondes avant de reprendre la stimulation, tout en suivant la même procédure. Compressez une deuxième fois et reposez-vous de nouveau. Après ce deuxième repos, vous devez prendre la position du «cavalier» (voir figure 4), la femme insérant le pénis dans son vagin. À ce moment, les deux partenaires doivent cesser tout mouvement et apprécier pleinement la sensation que procure la présence du pénis dans le vagin.

Une fois le pénis à l'intérieur du vagin, l'homme peut réagir de deux façons. Puisqu'il y a déjà quelque temps que vous n'avez pas pratiqué le coït, il est possible que l'homme soit rapidement conduit à l'éjaculation et ce, même sans mouvement. Si c'est le cas, il doit le signaler à sa partenaire qui se soulèvera de façon à retirer le pénis pour appliquer la compression. Rappelez-vous que le retrait procure un niveau assez intense de sensations; par conséquent, vous devrez commencer le retrait et compresser plus tôt qu'auparavant.

L'autre possibilité à envisager est la perte de l'érection. En effet, puisqu'il n'y a aucun mouvement après la pénétration, l'homme peut ne pas être suffisamment excité. Toutefois, si quelques minutes après la pénétration l'homme n'approche toujours pas de l'éjaculation, la femme peut commencer à faire de TRÈS LÉGERS ET TRÈS LENTS mouvements de va-et-vient de haut en bas. Le but de ces mouvements est de maintenir l'homme excité et en érection — et non pas de l'amener près du seuil critique. Néanmoins, si cela s'avère nécessaire, la femme doit retirer le pénis en se soulevant et appliquer la compression. Si après plusieurs minutes de pénétration avec des mouvements lents l'homme est encore excité mais n'approche pas de l'éjaculation, la femme peut graduellement accélérer ses mouements.

L'objectif de cet exercice est de maintenir la pénétration pendant une assez longue période de temps. Nous suggérons entre 5 et 8 minutes mais vous pouvez déterminer votre propre performance. Plusieurs couples veulent savoir combien de temps ils peuvent persévérer et maintiennent alors cette position pendant 20 ou 30 minutes. Si vous ressentez le besoin de compresser, n'hésitez pas, mais vous devez viser à garder le niveau de stimulation assez bas pour éviter cette pratique à ce moment-ci. Si malgré tout vous devez compresser, ne vous en faites pas. Cela indique seulement que vous avez encore besoin d'expérience. L'amélioration viendra avec le temps.

Reposez-vous de 10 à 30 secondes après une compression puis réinsérez le pénis dans le vagin. Si ceci n'est pas assez stimulant pour l'homme, la femme peut graduellement augmenter les mouvements, mais essayez d'atteindre votre objectif sans avoir à compresser de nouveau.

Si vous ne réussissez pas à atteindre l'objectif de 5 à 8 minutes parce que, même sans mouvement, la stimulation s'avère trop intense, alors répétez par trois fois le processus d'insertion, de retrait et de compression avant d'arrêter. Il sera sans doute nécessaire de reprendre cet exercice plus tard, mais avec la pratique et l'expérience, vous vous améliorerez.

Une fois votre objectif de temps atteint OU après la troisième compression, l'homme peut éjaculer dans le vagin SI tel est votre souhait.

Il y a une restriction à laquelle la femme doit se plier durant cet exercice: elle ne doit pas avoir d'orgasme lors de la pénétration avant la troisième compression. En fait, la femme ne doit prévoir aucun orgasme; en revanche si, après la troisième compression, elle est prête à atteindre un orgasme ou deux, il n'y a aucune objection.

Le fait qu'elle atteigne un orgasme et la façon ou le moment de l'atteindre sont de votre ressort, et en particulier de celui de la femme. N'importe quelle méthode peut être choisie pourvu que ce soit après la (troisième) compression. L'orgasme peut être atteint au moyen de la pénétration, d'une stimulation manuelle avant ou après l'éjaculation de l'homme, à l'aide d'un vibrateur, ou par n'importe quelle autre méthode. L'important réside dans le fait que le partenaire ne doit pas atteindre l'orgasme avant la troisième compression. Nous posons cette restriction car l'orgasme de la femme est probablement très excitant et stimulant pour l'homme, autant physiologiquement que psychologiquement. Or, vous devez contrôler l'intensité de la stimulation durant vos sessions de pratique.

Lorsque vous ferez cet exercice et ceux des deux prochaines étapes, comprenez bien que vous n'avez pas à surveiller le cadran. Le temps que nous suggérons et l'objectif que vous vous fixez sont des guides approximatifs et non pas des exigences sévères et inaltérables. Votre approximation du temps passé est suffisamment précise; il n'est donc vraiment pas nécessaire de consulter une montre ou un chronomètre. Ces sessions sont faites pour être agréables, en plus de vous aider à atteindre vos objectifs. Essayez de ne pas en faire des performances gymniques.

Répétez cet exercice au moins deux fois ou jusqu'à ce que vous soyez capables de soutenir confortablement et avec succès la présence du pénis dans le vagin, afin d'atteindre votre objectif (lequel sera probablement de 5 à 8 minutes).

Difficultés possibles

Si vous avez réussi à compléter vos exercices de la semaine, ne vous tourmentez pas pour les problèmes que vous avez pu rencontrer. Voici d'ailleurs quelques-uns des problèmes les plus fréquents!

1) Certaines femmes trouvent inconfortable la position du cavalier. Cela arrive dans certains cas, mais le recours à cette position s'avère important dans le programme d'entraînement et il faut y revenir pour quelque temps encore. Habituellement, l'inconfort réside dans la nouveauté de cette position pour le couple, la femme pouvant se sentir maladroite en l'utilisant. Dans ce cas, le malaise disparaîtra avec la pratique. Parfois même, ce léger ennui peut être facilement résolu en déposant des oreillers sous les genoux de la femme.

Si l'inconfort n'est pas trop grand, vous devriez adopter cette position à quelques reprises dans le but d'en découvrir tout le plaisir. Malheureusmeent, chez certains couples, la position du cavalier ne peut pas et ne devrait pas être utilisée. Si l'un des deux a des problèmes d'ordre physique (maux de dos ou autre), cette position peut ne pas être adaptée, donc ne l'utilisez pas. Enfin, si la femme a les hanches très étroites tandis que son partenaire est très large, elle peut être dans l'incapacité de s'asseoir par-dessus lui comme il a été décrit. Cela présente un problème réel puisque la position du cavalier reste la meilleure pour améliorer le contrôle éjaculatoire. Heureusement, ce n'est pas la seule position que vous pouvez utiliser; par conséquent, n'abandonnez pas le programme pour cette unique raison.

Ce qui vous empêche d'avoir recours à cette position peut également vous limiter dans la pratique de quelques autres positions. Pour cette raison, nous n'en recommanderons pas d'autres. Vous devrez trouver d'un commun accord celle qui vous convient le mieux. Il y a toutefois plusieurs facteurs à considérer lorsque l'on sélectionne une position pour cet exercice. Celle que vous choisirez devra être confortable et vous permettre de vous relaxer pour une certaine période de temps. Elle devra également vous permettre d'insérer et de retirer facilement et rapidement le pénis du vagin. Enfin, une fois le retrait effectué, la femme doit être en mesure d'atteindre le pénis rapidement et sans difficulté pour pratiquer la compression.

2) Il se peut que vous trouviez difficile de synchroniser le retrait du pénis et l'application de la compression. Dans ce cas, il importe de se rappeler que le retrait procure un surplus considérable de stimulations et qu'il doit s'effectuer plus tôt. De plus, pour les hommes extrêmement excités au moment où ils s'engagent dans une relation sexuelle (la plupart des éjaculateurs précoces), il vaut mieux prévoir l'intromission de façon que cela n'arrive pas à un haut niveau d'excitation, près du point de non-retour. Toutes les fois où cela s'avérera nécessaire, vous devrez utiliser la compression avant l'intromission pour diminuer le degré d'excitation et le besoin immédiat d'éjaculer.

3) Certaines femmes trouvent difficile le fait de se

retenir de faire des mouvements et de ne pas avoir d'orgasme durant ces exercices. Il n'en reste pas moins qu'il est très important de résister à des mouvements excessifs et à l'orgasme. La stimulation, durant ces sessions doit être soigneusement contrôlée et augmentée graduellement, comme il a été préalablement spécifié. La nécessité de résister au mouvement et à l'orgasme n'est que temporaire. Une fois ce programme complété, la femme pourra s'engager dans n'importe quelle sorte de mouvements et avoir autant d'orgasmes qu'elle le désire. De plus, il est fortement recommandé que l'homme (ou la femme elle-même) procure un orgasme à la femme par stimulation manuelle, avant ou après l'intromission.

4) Certains couples font face à un autre genre de problème. Dans certains cas, la femme n'est pas du tout excitée et le vagin n'est ni lubrifié ni humide. L'insertion du pénis sera alors difficile et peut-être même douloureuse. Dans ce cas, vous devriez utiliser quelque chose pour lubrifier l'entrée du vagin. Certaines gelées (gelée K-Y) sont adaptées à cette situation. Elles s'enlèvent facilement, ne provoquent pas d'irritation et on peut se les procurer dans la plupart des pharmacies. Nous ne recommandons pas les gelées à base de pétrole puisqu'elles ne sont pas solubles à l'eau, résistent plus au nettoyage et peuvent irriter le vagin. Vous pouvez aussi préférer employer différentes autres sortes d'huiles, lesquelles peuvent être extrêmement agréables à utiliser. Les huiles de massage sont souvent parfumées et peuvent augmenter votre plaisir. L'huile pour bébé, l'huile de coconut et l'huile végétale sont également excellentes. Par contre, si un produit quelconque irrite les parties génitales, évitez de l'employer.

Étape 4: Résumé des exercices

1) Pour la femme: Exercices de Kegel (optionnel)

2) Pour le couple

A) Deux sessions de partage

    1. Partagez vos réactions face à ce programme.

    2. Discussion libre

B) Deux sessions d'échanges sexuels

Dans chacune des sessions, l'un et l'autre des partenaires donnent et reçoient. Quand l'homme reçoit:

1. Commencez par de brèves caresses sur tout le corps, puis poursuivez avec la stimulation manuelle des organes génitaux. Après avoir pratiqué deux compressions, prenez la position du cavalier et insérez le pénis dans le vagin; Commencez SANS mouvement. La femme peut alors graduellement augmenter les mouvements. Fixez-vous un objectif en termes de temps de pénétration (5 à 8 minutes est recommandé) et essayez de garder les mouvements à un niveau suffisamment bas de façon à maintenir l'intromission assez longtemps. Si cela s'avère nécessaire, la femme se soulèvera et retirera le pénis du vagin afin d'appliquer la compression. Après 10 à 30 secondes de repos, insérez le pénis et recommencez le processus. Si nécessaire, répétez jusqu'à un total de trois compressions après l'intromission, mais essayez d'atteindre votre objectif sans compression.

TOTAL: Deux compressions avant l'intromission et trois compressions après.

    2. Même chose.

Chapitre 11

PÉNÉTRATION AVEC PAUSE

V ous vous acheminez progressivement vers la relaxation sexuelle avec pénétration. Vous avez eu l'occasion d'expérimenter plus longuement qu'autrefois la sensation de la présence du pénis dans le vagin, avec peu ou pas de mouvements. De plus, vous avez partagé vos réactions face à ce programme et vous avez aussi échangé sur les problèmes rencontrés jusqu'à présent. Il est très important d'avoir atteint tous ces objectifs avant de poursuivre plus loin dans cette étape.

LEÇON No 5

Bien que vous travailliez ensemble à retarder le moment de l'éjaculation chez l'homme, il est important de reconnaître, une fois de plus, que le simple fait de prolonger le temps de pénétration n'est pas une garantie d'orgasme pour la femme et ce, pour plusieurs raisons. Le principal motif est sans doute que l'orgasme féminin provient d'une stimulation clitoridienne plutôt que vaginale. En effet, le vagin contient très peu de terminaisons nerveuses (récepteurs neurologiques responsables de la sensation lorsqu'ils sont stimulés). Ainsi, le pénis ne stimule qu'indirectement le clitoris en étirant et en comprimant la région vulvaire (la région autour du vagin); donc le simple fait de prolonger la pénétration n'amène pas toujours suffisamment de stimulations pour produire un orgasme. D'ailleurs, la plupart des femmes, lorsqu'elles se masturbent, concentrent la stimulation sur le clitoris ou autour de celui-ci plutôt qu'à l'intérieur ou autour du vagin, puisque la stimulation physique du clitoris est responsable de l'excitation et de l'orgasme.

Une certaine stimulation clitoridienne est souvent nécessaire à la femme pour qu'elle atteigne l'orgasme. Le fait d'inclure la stimulation manuelle du clitoris et de la région avoisinante, lors du coït, peut donc être un ajout avantageux. Plusieurs couples n'aiment pas cette idée, mais elle conserve quand même tout son sens. Une stimulation supplémentaire ne peut qu'augmenter votre plaisir mutuel pendant vos interactions sexuelles; il n'y a donc certainement rien de mal à l'inclure dans vos jeux amoureux.

Attention, nous ne voulons pas dire que l'homme doit concentrer toutes les stimulations directement sur le clitoris, lors des préliminaires ou du coït. Au contraire, le clitoris est un organe extrêmement sensible et, pour plusieurs femmes, une stimulation directe peut être douloureuse. De plus, les préliminaires sont souvent beaucoup plus agréables et excitants pour la plupart des femmes (et des hommes aussi d'ailleurs) si la stimulation est diversifiée. Finalement, les facteurs psychologiques tels l'amour, l'affection et la passion du partenaire ne peuvent que rehausser le niveau d'excitation. Bien sûr, il reste préférable que ces sentiments et ces attitudes soient communiqués régulièrement plutôt que seulement lors des relations sexuelles.

Souvent, des hommes s'inquiètent et se demandent si leur partenaire atteint toujours l'orgasme durant la relation sexuelle. Or, il arrive parfois qu'une femme, habituellement orgasmique, n'atteigne pas l'orgasme, tout simplement parce qu'elle n'en a pas envie ce jour-là, de la même façon qu'un homme n'a pas toujours envie de faire l'amour. Cela ne veut pas dire que l'un ou l'autre souffre d'un problème, mais plutôt qu'il existe des variantes normales dans la réponse sexuelle. En fait, les femmes excellent souvent plus, comparativement aux hommes, dans l'appréciation de la chaleur, de l'intimité et de l'amour émanant d'une relation sexuelle, sans obligatoirement vouloir parvenir à l'orgasme. Cette capacité, bien sûr, est le fruit de la culture et n'est pas déterminée biologiquement, mais la différence entre les deux sexes est habituellement fondée. Cependant, s'il existe, dans les techniques sexuelles, des problèmes réels provoquant une incapacité d'atteindre l'orgasme chez la femme, celle-ci doit en faire part à son partenaire. Après tout, il n'existe aucun autre moyen que la communication pour informer son partenaire de ce que chacun trouve réellement agréable ou désagréable.

Un dernier mot concernant l'orgasme féminin. De même que l'éjaculation précoce et la difficulté d'avoir une érection résultent, la plupart du temps, de problèmes d'entraînement, ainsi la capacité orgasmique féminine est liée à un apprentissage. Il reste donc possible de remédier à la situation. En conséquence, si une femme n'est pas orgasmique pour des raisons autres que l'éjaculation précoce de l'homme, ce programme n'apportera pas de solution précise. Alors, si vous n'êtes toujours pas satisfaits de la capacité orgasmique de la femme au terme de ce programme, et s'il n'y a pas de problèmes apparents avec les techniques sexuelles, vous pouvez désirer attaquer de front ce problème. C'est alors que la lecture de livres, tel celui de Heiman, J., LoPiccolo, L., LoPiccolo, J., *ORGASME*, Édit. Quebecor (1979), ou la consultation d'un(e) thérapeute compétent(e) et bien au courant du traitement des dysfonctions sexuelles seront sans doute appropriées. Rappelez-vous ceci: vous avez toujours le droit de vous enquerir de la compétence d'un(e) consultant(e). D'ailleurs, de même que vous ne consulteriez pas un dermatologue pour le traitement de problèmes cardiaques, ainsi vous ne consulteriez pas un(e) psychologue spécialisé(e) dans le traitement de l'alcoolisme ou de la schizophrénie si vos problèmes sont d'ordre sexuel.

Exercice 5

A) Pour la femme: Exercices de Kegel (optionnel)

B) Pour le couple

1) Sessions de partage

Dans l'une de vos deux sessions de partage, le sujet de conversation sera libre. Pour l'autre, vous devrez mettre en commun ce que vous pensez des contacts bucco-génitaux. Assurez-vous d'envisager les deux côtés de la situation; discutez de vos impressions sur la stimulation orale des organes génitaux féminins et masculins. La plupart des couples trouvent le baiser génital très agréable à donner et à recevoir, alors que d'autres personnes ont des inhibitions ou des sentiments négatifs à l'endroit de ce genre de stimulation. Puisque vos relations sexuelles deviennent plus naturelles et moins restrictives, voici le moment opportun de partager vos impressions sur ce sujet. Vous pouvez d'ailleurs, si vous le désirez, commencer à utiliser la stimulation orale-génitale durant vos relations sexuelles. Sentez-vous bien libres de l'utiliser dans n'importe quelle session d'échanges sexuels. Assurez-vous pourtant d'avoir d'abord débattu franchement cette question au cours d'une cession de partage, et surtout d'avoir bien compris votre partenaire à ce propos.

2) Sessions d'échanges sexuels

L'exercice de cette étape sera, à une exception près, la répétition de celui de la semaine précédente: cette fois-ci, cependant, vous utiliserez la pause plutôt que la compression après l'intromission.

Vous aurez encore un minimum de deux sessions d'échanges sexuels où chacun de vous donnera et recevra. Vous devez décider ensemble lequel d'entre vous deux sera d'abord le receveur dans chaque session. Lorsque ce sera au tour de la femme à recevoir, elle devra choisir au moins 15 minutes de caresses, qu'elles soient sexuelles ou sensuelles, selon son désir.

Lorsque vient le tour de l'homme, il doit SE CONCENTRER SUR LA SENSATION et ne pas tenter de transformer cette expérience en une session de caresses mutuelles. Comme pour la semaine précédente, la femme peut choisir n'importe quelle position lorsqu'elle caresse, pourvu, bien sûr, qu'elle ait un accès facile à la région génitale de l'homme. Elle le stimulera alors jusqu'à ce qu'il sente approcher le point d'imminence éjaculatoire. La stimulation devra alors cesser pour l'application de la COMPRESSION. Après un bref repos, le même processus devra être répété une deuxième fois. Par la suite, la femme doit prendre la position du cavalier et insérer le pénis dans son vagin.

Cette semaine, tout comme précédemment, L'HOMME NE DOIT FAIRE AUCUN MOUVE-MENT, tandis que sa partenaire ne doit bouger que pour le maintenir suffisamment excité, afin qu'il conserve son érection. Votre objectif vise à maintenir l'intromission durant un certain temps déterminé (suivant votre choix; nous recommandons de 6 à 8 minutes). Pourtant, si l'homme sent venir le point d'imminence éjaculatoire, il doit le signaler à sa partenaire, qui se soulèvera alors de façon à retirer le pénis et à pratiquer la pause. Vous devez veiller à commencer le retrait et à faire la pause bien avant le point d'imminence éjaculatoire. Vous vous souvenez sans doute que le retrait du pénis procure un surplus de stimulations et que la pause est moins efficace que la compression.

Ainsi, dans le cas où vous devriez arrêter après l'intromission, faites-le suffisamment tôt puis reposez-vous de 10 à 30 secondes avant de réinsérer le pénis dans le vagin. Après l'intromission, vous ne devez faire aucun mouvement; par la suite, et seulement pour maintenir l'homme suffisamment excité, la femme augmentera graduellement ses mouvements. Le but de cette séance est de parvenir à vos objectifs en termes de temps de pénétration. Pour ce faire, vous devez limiter vos mouvements. Si vous êtes incapables d'y arriver SANS l'application de la pause, répétez l'exercice et ajoutez, entre deux pénétrations, une compression ou deux avant l'intromission. La femme doit s'efforcer de ne pas avoir

132

d'orgasme jusqu'à ce que vous ayez atteint vos objectifs (ou jusqu'après la troisième pause). Une fois vos objectifs atteints ou après une troisième pause réussie, l'homme pourra éjaculer et la femme avoir un orgasme. Cette semaine, vous devez retirer le pénis du vagin pour pratiquer la pause.

Répétez cet exercice deux fois ou jusqu'à ce que vous ayez expérimenté avec succès (toujours en fonction de l'objectif à atteindre) la présence du pénis dans le vagin.

Difficultés possibles

Une fois de plus, si vous avez pu compléter vos exercices, vous ne devez pas vous inquiéter outre mesure des problèmes mineurs rencontrés au cours de cette étape. La plupart des problèmes seront semblables à ceux de la leçon précédente.

1) La position du cavalier n'est pas confortable. Même si c'est toujours un problème, la partenaire doit tolérer cet inconvénient temporaire et (mineur) dans le but d'améliorer les performances sexuelles futures. Par contre, si des difficultés physiques rendent cette position impossible ou douloureuse, ne l'utilisez pas. Dans ce cas, consultez la section des difficultés possibles de l'étape 4.

2) Au cours de cette session, vous devez avoir appliqué deux COMPRESSIONS AVANT L'INTROMISSION et utilisé LA PAUSE PAR LA SUITE, SI NÉCESSAIRE. Vous pouvez avoir éprouvé des difficultés à synchroniser le retrait du pénis et l'utilisation de la pause. Même si à la longue il sera préférable de maintenir le contrôle éjaculatoire sans la compression ou la pause durant la pénétration, à l'heure actuelle et dans

des circonstances optimales, votre contrôle est encore faible. Vous ne devez donc pas hésiter à utiliser l'une de ces techniques lorsque c'est indiqué.

Avec la pratique et l'expérience, il vous sera probablement de moins en moins nécessaire de les utiliser mais, pour l'instant, elles s'avèrent indispensables à plusieurs couples. De plus, leur utilisation ne freinera en rien votre progrès. Rappelez-vous que le retrait procure un surplus considérable de stimulations et que la pause n'est pas aussi rapidement efficace que la compression; vous devez donc commencer le retrait et la pause très tôt. En outre, si le point d'imminence éjaculatoire approche aussitôt après l'intromission, essayez de faire une ou deux autres compressions avant une nouvelle pénétration. Vous devez synchroniser votre entrée dans le vagin de façon à ce que cela n'arrive pas au plus fort de l'excitation.

3) Même si, pour la femme, il peut être difficile de contrôler ses mouvements et de résister à l'orgasme, elle doit persévérer. Gardez en tête que vous travaillez en fonction d'un but précis, soit l'amélioration de votre fonctionnement sexuel. Par là, nous ne prétendons pas que la femme doit abandonner l'excitation, l'orgasme ou le plaisir. L'orgasme pour la femme est parfaitement acceptable, voire très recommandable, sauf lors de la pratique de la technique de la pause.

Étape-5 - Résumé des exercices

1) Pour la femme: Exercices de Kegel (optionnel)

2) Pour le couple

A) Deux sessions de partage

1. Discussion des sentiments à propos de l'amour oral

2. Discussion libre

B) Deux sessions d'échanges sexuels

Dans chaque session d'échanges sexuels, au moins 15 minutes doivent être accordées à la partenaire. Lorsque c'est l'homme qui reçoit, voici ce que vous devez faire!

1) Dans n'importe quelle position, la femme stimulera la région génitale de l'homme. Lorsque le point de non-retour approchera, elle compressera. Répétez. Après deux compressions, prenez la position du cavalier. Commencez sans mouvement. La femme peut alors augmenter les mouvements légèrement. Essayez de restreindre suffisamment vos mouvements afin d'atteindre votre objectif sans l'utilisation de la pause, mais si c'est nécessaire, retirez le pénis du vagin et utilisez-la. Répétez jusqu'à ce que vous ayez atteint vos buts ou jusqu'à ce que vous ayez fait trois pauses.

2) Même chose.

Chapitre 12

HUIT MINUTES

Jusqu'à présent, vous avez pu contrôler l'éjaculation durant le coït grâce à deux techniques différentes (la compression et la pause). Vous avez également eu l'opportunité de prendre le temps d'apprécier la présence du pénis dans le vagin. De plus, vous avez mis en commun ce que vous pensiez de l'amour oral; vous avez peut-être décidé ensemble de le pratiquer lors des préliminaires.

LEÇON No 6

L'étape de cette semaine, même si elle est en grande partie identique à celles des deux dernières semaines, vous laissera toutefois davantage de liberté et vous fera avancer dans votre progression vers une vie sexuelle plus satisfaisante.

Vous êtes maintenant libres de choisir vos jeux sexuels. Lorsque c'est au tour de l'homme de recevoir, vous pouvez donc inclure des caresses ou des massages mutuels, la stimulation orale ou manuelle des organes génitaux, des seins ou d'autres zones érogènes, des baisers ou n'importe quel autre type de préliminaires que vous aimez tous les deux.

Lors des deux dernières étapes, vous deviez effectuer deux compressions avant l'intromission. Cette semaine, ce sera à vous de décider si vous utiliserez la compression ou la pause avant la pénétration. Si vous voulez ou devez utiliser une technique pour différer l'éjaculation, vous pouvez choisir l'une ou l'autre. Souvent les gens varient dans leur besoin d'utiliser la compression ou la pause avant de pratiquer le coït. De plus, l'intensité de l'excitation et la rapidité de l'éjaculation varient souvent d'un jour à l'autre chez un même individu. À présent, vous devriez être capables de reconnaître toutes les sensations dans la progression de l'excitation vers l'éjaculation. Rappelez-vous qu'il reste de la plus haute importance que l'intromission ne se fasse pas lorsque l'homme se trouve au sommet de l'excitation, juste avant le point d'imminence éjaculatoire. Vous aurez à évaluer par vous-mêmes si oui ou non vous avez besoin de recourir à la compression ou à la pause avant l'intromission, de façon à diminuer l'excitation et ainsi différer l'éjaculation.

Même après avoir terminé ce programme, la plupart des gens qui ont connu des problèmes d'éjaculation précoce devront utiliser, au moins occasionnellement, la compression ou la pause durant les préliminaires. Vous devrez probablement y avoir recours lorsque l'homme sera extrêmement excité, ce qui se produira, par exemple, après un certain temps sans relations sexuelles, ou lors de premières expériences sexuelles avec une nouvelle partenaire. Certaines personnes considèrent que l'emploi

138

fréquent ou même constant de ces techniques est toujours avantageux. Donc, ne vous découragez, surtout pas si elles vous sont nécessaires.

D'ailleurs, la grande majorité des gens qui prennent le temps de jouir de longs préliminaires se servent probablement de la pause. Ils l'utilisent relativement souvent et tout naturellement afin de diminuer leur niveau d'excitation. Ils pratiquent la pause soit en variant le type de stimulation, soit en cessant temporairement de stimuler directement le pénis. Évidemment, personne ne considère cela comme bizarre ou anormal. Au contraire, cette façon de procéder est très normale. Elle peut être amusante et procurer beaucoup de plaisir en permettant à un couple de prolonger ses jeux amoureux. Il n'existe qu'une différence entre vous et d'autres couples qui utilisent la pause. Dans votre cas, vous avez appris une technique spéciale connue sous le nom de pause, alors que d'autres l'emploient spontanément. En revanche, la plupart des couples qui n'ont pas suivi ce type de traitement ne se servent pas de la compression avant l'intromission, tout simplement parce qu'ils n'ont pas la chance de la connaître. Vous avez donc l'avantage de connaître cette technique qui peut être agréable, tout en vous permettant de prolonger vos activités sexuelles.

Il en va de même pour la compression et la pause durant le coït lui-même. En général, les hommes (qui ne sont pas des éjaculateurs précoces) éjaculent assez vite — 75% en moins de 2 minutes, d'après Kinsey. Les gens parvenant à des relations coïtales plus longues arrêtent spontanément très souvent lorsqu'ils font l'amour. Ils adoptent la pause, soit en arrêtant complètement leurs mouvements, soit en changeant de position (ce qui interrompt aussi les mouvements), soit exactement comme vous l'avez fait, en se reposant après le retrait du pénis. Enfin, quelquefois ils ralentissent simplement le rythme des mouvements. En fait, très peu d'hommes peuvent maintenir régulièrement des mouvements rapides pour une longue période de temps durant le coït — à moins évidemment qu'ils ne soient pas très excités. À l'égal de la pause, la compression peut être un ajout agréable à votre répertoire amoureux. Elle doit être considérée comme un moyen très efficace de prolonger le coït et non pas comme un outil mécanique indésirable que vous devez éviter par tous les moyens.

Bien que le recours à la compression ou à la pause durant les préliminaires ou le coït n'ait rien de négatif, la pratique vous permettra de développer votre capacité de contrôle. Ces techniques deviendront donc de moins en moins nécessaires.

Outre l'utilisation de la compression et de la pause, qui devient optionnelle avant l'intromission, vous prolongerez cette semaine le coït pendant une période d'environ huit minutes, utilisant la compression si nécessaire. Quoique tout le monde n'ait pas l'intention de tenter invariablement huit minutes de pénétration, cette période reste suffisamment longue pour s'assurer que l'homme ne puisse plus être considéré comme un éjaculateur précoce. Souvenez-vous de l'étude de Kinsey indiquant que 75% des Américains éjaculent en moins de deux minutes après l'intromission. Ainsi, cette période de huit minutes vous situe bien au-dessus de cette moyenne. De plus, une fois cet objectif atteint, vous n'aurez pas beaucoup de difficultés à prolonger davantage le temps de pénétration lorsque vous le désirerez. Il s'agira simplement de faire quelques compressions ou quelques pauses supplémentaires.

Exercice 6

A) Pour la femme: exercices de Kegel (optionnel)

B) Pour le couple

1. Sessions de partage

Vous avez maintenant pris l'habitude d'avoir deux sessions de partage par étape. Le temps exact à y consacrer n'a pas été spécifié, mais chaque session doit durer environ 20 minutes. La structure des sessions libres et avec thème doit laisser suffisamment de temps pour permettre de traiter les questions spéciales pouvant surgir. Cette semaine, le sujet de la séance de partage avec thème portera sur vos techniques préliminaires favorites. Vous êtes maintenant pratiquement rendus au stade des préliminaires sans aucune restriction; il importe donc d'en profiter pleinement. Réfléchissez sur les techniques employées par votre partenaire qui vous excitent vraiment et faites-lui-en part. Si vous avez envie d'essayer de nouvelles techniques ou de nouvelles façons de faire l'amour, utilisez le temps de cette séance pour en discuter et être créatifs. Lors des sessions d'échanges sexuels, utilisez les techniques préférées de votre partenaire au cours des préliminaires et expérimentez ce dont vous avez discuté.

2. Sessions d'échanges sexuels

À quelques exceptions près, vous répéterez les mêmes exercices que lors des deux dernières étapes. Vous aurez encore au moins deux sessions d'échanges sexuels où chacun de vous sera nu. Puisque vos sessions d'entraînement sexuel ne sont pas encore totalement mutuelles, vous devez accorder à chaque session au moins 15 minutes de caresses et de stimulations à la femme.

Lorsque c'est au tour de l'homme, vous avez le choix des préliminaires. L'homme peut, par exemple, s'étendre sur le dos et jouir des caresses ou bien vous pouvez vous stimuler réciproquement, ou encore procéder d'une autre façon si vous en avez le goût.

Nous l'avons déjà mentionné, l'utilisation de la compression ou de la pause est optionnelle avant l'intromission. Cependant, la pénétration ne doit pas avoir lieu au plus fort de l'excitation ou près du point d'imminence éjaculatoire. Il est parfaitement indiqué de recourir à la compression ou à la pause avant l'intromission si vous en ressentez le besoin. En fait, nous prévoyons que la plupart des couples devront, au moins occasionnellement, utiliser l'une ou l'autre de ces techniques avant la pénétration afin de diminuer l'excitation physiologique.

Lorsque l'homme a une érection ferme, ou après avoir utilisé la compression une fois ou deux, la femme prendra la position du cavalier afin d'insérer le pénis dans son vagin. Elle commencera ensuite à faire de légers mouvements. Encore une fois, ce sera la femme qui fera les mouvements alors que l'homme restera immobile. Si nécessaire, elle augmentera graduellement le rythme de façon à maintenir l'excitation et l'érection de l'homme. Toutefois, les mouvements doivent être contrôlés; ainsi, l'homme ne sera pas conduit jusqu'au point de non-retour. Vous devez plutôt essayer de maintenir la pénétration pour une période de huit minutes. Si l'homme s'approche du point d'imminence éjaculatoire, la femme doit se soulever, retirer le pénis du vagin et appliquer la compression. Reposez-vous de 10 à 30 secondes et réinsérez le pénis dans le vagin. Répétez ce processus aussi longtemps qu'il sera nécessaire pour prolonger la pénétration pendant au moins huit minutes, sans éjaculer. Une fois les huit minutes écoulées, l'homme pourra éjaculer et la femme atteindre l'orgasme, si tels sont leurs désirs. Une fois l'objectif atteint, le couple pourra utiliser n'importe quel moyen désiré afin de mener la femme à l'orgasme.

Répétez cet exercice au moins deux fois ou jusqu'à ce que vous puissiez maintenir l'intromission sans éjaculation, pendant environ huit minutes.

Difficultés possibles

1) Il arrive parfois que l'homme éjacule immédiatement à l'entrée du vagin lorsqu'il recommence à avoir des relations coïtales. Si c'est votre cas, vous devez répéter l'exercice. Soyez attentifs à ne pas commencer l'intromission au moment ou l'homme est au sommet de l'excitation; utilisez la compression ou la pause avant la pénétration. En outre, l'homme devrait faire quelques sessions de masturbation privées où il pratiquerait la compression et la pause, se concentrant particulièrement sur le processus d'excitation en entier. Soyez certains de savoir à quel moment, durant l'excitation, vous devez compresser ou arrêter. Alors, si vous avez besoin de l'une ou l'autre des techniques, utilisez-les LE PLUS TÔT POSSIBLE.

2) Il existe malheureusement un problème beaucoup plus sérieux. En effet, plusieurs personnes ayant suivi le programme jusqu'à maintenant considèrent qu'elles en savent suffisamment et elles interrompent

alors le traitement. La plupart du temps, elles commettent une erreur. La compression et la pause sont des techniques très faciles à apprendre tout en étant très efficaces, mais l'essence même de l'expérience de «réapprentissage» réside dans une approche systématique et graduelle vers un retour à des «relations sexuelles normales». Pour votre propre satisfaction sexuelle, poursuivez le programme d'entraînement jusqu'à la fin. Vous développerez probablement un meilleur contrôle sur l'éjaculation.

Étape 6: résumé des exercices

1. Pour la femme: exercices de Kegel (optionnel)

2. Pour le couple

A) Deux sessions de partage

    1. Discussion des techniques à employer lors des préliminaires. Ce que vous aimez le mieux. Ce que vous aimeriez essayer de nouveau.

    2. Sujet de votre choix

B) Deux sessions d'échanges sexuels

    Dans chaque session, au moins 15 minutes devront être accordées à la partenaire. Lorsque c'est au tour de l'homme de recevoir, vous devez:

    1. Commencer par les préliminaires que vous voulez (ils peuvent être mutuels cette semaine); l'utilisation de la compression ou de la pause est également optionnelle. Dans la position du cavalier, les mouvements sont faits par la femme. Essayez de faire durer la pénétration environ huit minutes. Si nécessaire, compressez pour atteindre votre objectif.

    2. Comme au numéro 1.

Chapitre 13

ENCORE HUIT MINUTES

P résentement, vos efforts visent un retour à une vie sexuelle libre de toute contrainte. D'ailleurs, vous devriez avoir réussi, la semaine dernière, une relation sexuelle coïtale d'une durée de huit minutes. Bien que vous ayez probablement dû maintenir le niveau de stimulation suffisamment bas pour différer l'éjaculation, vous devez savourer votre succès de la semaine précédente comme une véritable victoire. De plus, vous avez eu l'occasion de discuter de vos jeux amoureux favoris ou des nouvelles techniques que vous aimeriez essayer lors de vos relations sexuelles. Enfin, au cours des sessions d'échanges sexuels, vous avez eu la possibilité d'utiliser ces techniques pour stimuler et exciter votre partenaire.

LEÇON No 7

L'exercice de l'étape 7 sera semblable à celui de la

semaine dernière. Toutefois, vous devrez, de plus, déterminer ensemble le genre de stimulations ou de caresses à accorder à la partenaire féminine. Évidemment, s'il reste nécessaire d'avoir recours à la compression ou à la pause pour prolonger le temps de pénétration jusqu'à huit minutes, n'hésitez pas à le faire.

De façon intentionnelle, les exercices des dernières étapes ont été très répétitifs. Désormais, vous avez toutes les connaissances requises pour maîtriser, de façon permanente, votre éjaculation précoce. Il s'agit maintenant d'acquérir plus d'expérience avec les hauts niveaux d'excitation pendant la pénétration. Vous constaterez probablement qu'à chaque session vous parvenez à tolérer de plus en plus de mouvements de va-et-vient. Bien que vous connaissiez les exercices vous permettant de faire des progrès, et malgré leur caractère répétitif, vous devez poursuivre et compléter le programme. Vos relations sexuelles bénificieront d'une progression continue vers une pleine liberté. Si vous trouvez le programme ennuyeux parce que trop facile, eh bien, bravo! C'est très positif. Cela indique que vous intégrez très bien le contrôle et que vous pourrez même accélérer votre cheminement dans les prochaines étapes.

Puisque maintenant vos échanges sexuels deviennent de plus en plus mutuels et que bientôt vous serez en mesure de décider de votre propre chef de vos activités sexuelles, les exercices deviendront de moins en moins explicites et détaillés. Pour l'instant, vous déciderez ensemble si la femme bénéficiera d'une session de caresses spécifiquement choisie pour elle. Au cours des préliminaires, les caresses peuvent maintenant être simultanées. La pénétration est devenue également moins restrictive.

Pour ces raisons, la femme peut estimer qu'il y a suffisamment de plaisir et de satisfaction au cours des échanges sexuels eux-mêmes. Par ailleurs, elle peut souhaiter un surplus de stimulations et de caresses. Vous pouvez donc envisager de prolonger suffisamment vos préliminaires afin de satisfaire la femme. N'hésitez pas alors à recourir à la compression ou à la pause lorsqu'il s'avérera nécessaire de diminuer légèrement le niveau d'excitation de l'homme, et lui permettre de continuer. Quoi qu'il en soit, vous devez discuter ensemble de cette question et décider, à chaque fois, s'il y a lieu, quelle sorte de stimulations, la femme doit recevoir.

Cette semaine, nous ne prescrirons pas de préliminaires particuliers. Vous pouvez donc souscrire à n'importe quel type d'activités, selon vos désirs et vos goûts mutuels. En d'autres termes, comme dans toute activité intime et sexuelle, une communication claire entre les partenaires s'avère de la plus haute importance. Vous devez donc endosser la responsabilité de communiquer clairement à votre partenaire ce que vous aimez et ce que vous n'aimez pas, ce que vous aimeriez essayer et ce que vous ne voulez pas essayer. Vous devez également être à l'écoute de la communication de votre partenaire. Si vous avez LE MOINDRE DOUTE à propos de ce que l'autre tente d'exprimer, essayez de répéter son message dans vos propres mots, tel que vous le comprenez. Si vous avez compris correctement, votre partenaire vous le dira. Au contraire, si ce que vous avez compris n'est pas ce que votre partenaire souhaitait, cela lui fournira l'occasion de corriger votre erreur. Cet exercice, techniquement appelé REFORMULATION, est très utile pour éviter les conflits qui trouvent leur source dans une mauvaise communication ou dans un manque de compréhension.

Au cours de cette étape, vous devez également décider si vous utiliserez la compression ou la pause avant l'intromission. Et si vous avez le moindre doute, pour plus de sécurité veillez à utiliser l'une ou l'autre des techniques au moins une ou deux fois avant la pénétration.

Au cours du coït, vous utiliserez la pause, si nécessaire, afin de différer l'éjaculation. Il existe deux façons d'utiliser la pause lors de la pénétration. Dans un premier temps, il s'agit de retirer le pénis du vagin puis de pratiquer la pause. On peut aussi, si on le désire, cesser tout mouvement et effectuer la pause, le pénis toujours à l'intérieur du vagin. Cette semaine, vous pouvez choisir vous-mêmes de quelle façon vous voulez faire la pause. Le degré d'excitations que l'homme atteint en ayant simplement son pénis dans le vagin, sans aucun mouvement, peut être un indice à suivre. Si l'excitation augmente sans cesse lorsque le pénis se trouve dans le vagin, vous voudrez certainement le retirer pour faire la pause. En revanche, si votre niveau d'excitation diminue alors que le pénis est immobile dans le vagin, vous voudrez probablement faire la pause, le pénis à l'intérieur du vagin. La plupart des gens devront occasionnellement retirer le pénis pour faire la pause, ce qui se produira chaque fois que le niveau d'excitation sera particulièrement élevé. Certaines personnes devront chaque fois retirer le pénis pour effectuer la pause. Dans tous les cas, il vous appartient maintenant de déterminer la façon d'effectuer la pause — une décision qui doit être basée sur votre expérience personnelle.

Il est également possible de pratiquer la pause sans

interrompre complètement les mouvements. Plusieurs couples s'aperçoivent qu'ils peuvent contrôler l'excitation et l'éjaculation en ralentissant simplement leurs mouvements. «La pause», dans ce cas, semble un moyen TRÈS agréable de contrôler l'éjaculation, même chez les couples n'ayant jamais eu de problèmes d'éjaculation précoce. Vous espérez probablement employer ce procédé afin de prolonger la durée de la pénétration et ainsi rencontrer vos objectifs. Vous n'avez pas nécessairement à pratiquer dès maintenant ce type de pause, mais lorsque vous serez plus expérimentés et aurez un meilleur contrôle éjaculatoire, vous le désirerez probablement.

Selon la facilité avec laquelle vous réussissez à différer l'éjaculation au cours des exercices, vous pouvez maintenant varier légèrement la position du cavalier. Lors des exercices précédents, dans cette position la femme était agenouillée ou assise droite au-dessus de l'homme. Cette position a été choisie parce qu'elle permet à la femme de se soulever et de retirer le pénis rapidement et facilement, afin d'appliquer la compression ou faire une pause. Il reste important de recourir encore à cette position, mais il sera possible de la modifier légèrement. L'homme pourra ainsi commencer à pratiquer son contrôle éjaculatoire dans différentes positions.

Si vous vous sentez tous les deux confortables avec les quelques derniers exercices prescrits, la femme peut modifier sa position. Elle le fera en s'inclinant vers l'arrière ou vers l'avant, ou encore en allongeant ses jambes derrière elle et en s'inclinant vers l'avant; ainsi, elle sera couchée sur le ventre de l'homme et par-dessus lui. Jusqu'à quel point la position de base du cavalier pourra être modifiée est laissé entièrement à votre discrétion.

Les facteurs à considérer pour en décider sont de cet ordre; la femme est-elle confortable dans les différentes positions? et l'homme? Quel contrôle a-t-il sur son éjaculation? Si vous modifiez votre position, il y a certains points à se remémorer. Premièrement, vous devez encore garder les mouvements et la stimulation à un niveau bas ou modéré, pour ainsi changer lentement de position tout en prenant garde de ne pas faire de mouvements vigoureux par la suite. Deuxièmement, TOUT CHANGEMENT DE POSITION ENTRAÎNERA UNE DIFFICULTÉ ACCRUE POUR L'HOMME DANS LE CONTRÔLE DE SON ÉJACULATION. Jusqu'à présent, vous avez pratiqué dans une seule position. Il est alors probable que toute autre position apportera une stimulation différente à l'homme et demandera un peu plus de vigilance. Aussi ne vous découragez pas s'il vous semble plus difficile de différer l'éjaculation dans cette position ou dans toute autre.

Si vous n'étiez pas parfaitement à l'aise lors des derniers exercices, ne modifiez pas votre position d'ici la prochaine étape.

Exercice 7

A) Pour la femme: exercices de Kegel (optionnel)

B) Pour le couple

1. Sessions de partage

Comme d'habitude, vous devez consacrer deux sessions de partage dont l'une comportera un sujet de discussion de votre choix. L'autre doit être orientée sur ce que nous appelons la «planification d'une ambiance appropriée».

Votre environnement, lors des relations sexuelles, peut influencer de façon appréciable votre plaisir. Par exemple, imaginez ce que vous ressentiriez si vous faisiez l'amour dans un laboratoire aseptisé ou dans une chambre dégoûtante sur un lit crasseux. Comparez une telle situation avec votre réponse sexuelle lorsque vous faites l'amour devant un feu de foyer, à la lueur des chandelles et étendus sur une douce couverture moelleuse. Évidemment, votre réponse sera très différente et habituellement beaucoup plus positive dans le deuxième cas. Lorsque vous discutez d'«ambiance appropriée», essayez d'imaginer une atmosphère spéciale et chaleureuse que vous pourrez créer dans votre environnement, sans dépenser beaucoup d'argent ou vous donner trop de peine. Par exemple, il est relativement facile d'allumer une chandelle, de se verser un verre de brandy, d'acheter certaines huiles à massage, ou de se retirer à la campagne, un après-midi, et de faire l'amour sur l'herbe, loin des regards indiscrets. Il est certainement plus difficile de construire un foyer, de s'acheter un lit d'eau, ou de se barricader dans un endroit privé de votre cour (quoique certaines de ces possibilités puissent valoir la peine et les dépenses, à longue échéance). Planifiez de nouveaux moyens de créer une «ambiance appropriée» et essayez-les lors de vos prochaines sessions d'échanges sexuels.

De plus, vous devez aussi discuter de ce que vous éprouvez face à l'utilisation de matériel érotique comme partie intégrante de votre «ambiance». Cela peut aller des romans érotiques aux revues populaires (tels que *Playboy* ou *Playgirl*), jusqu'à la pornographie. Comme chaque couple réagit différemment face à ce type de matériel, vous devez décider ensemble si vous voulez les utiliser et à quel type de matériel vous aurez recours le plus souvent.

2. Sessions d'échanges sexuels

Pour la suite de l'étape, il s'agit d'avoir au moins deux sessions d'échanges sexuels telles que décrites ci-après. Pour chacune, vous devez décider ensemble quelles seront les caresses, s'il y a lieu, que la femme recevra en plus des préliminaires mutuels et de la relation coïtale.

Pour ce qui a trait à la session d'entraînement sexuel elle-même, vous devez commencer avec les préliminaires que vous désirez. Attention de ne pas commencer la pénétration lorsque l'homme se trouve au sommet de l'excitation et près du point d'imminence éjaculatoire. Vous devez décider vous-mêmes si vous devez ou voulez utiliser la compression ou la pause, avant l'intromission.

Lorsque l'homme a une érection ferme (mais sans être au plus fort de l'excitation), ou après avoir utilisé la compression ou la pause une fois ou deux afin de réduire l'excitation, vous devez pendre la position du cavalier et la femme doit insérer le pénis dans son vagin. Si vous voulez modifier cette position, la femme s'inclinera alors vers l'avant ou vers l'arrière de façon à ce qu'elle ne soit plus assise droite sur l'homme. Vous devez encore contrôler soigneusement vos mouvements afin que l'homme ne soit pas conduit rapidement à l'éjaculation. Si vous pouvez tenir environ huit minutes, bravo! c'est fantastique, mais si l'homme sent qu'il approche du point d'imminence éjaculatoire, il doit le signaler à sa partenaire qui peut alors, selon ce qui semble nécessaire à tous les deux pour prévenir l'éjaculation: (1) simplement ralentir ses mouvements, ou (2) cesser tout mouvement, mais maintenir le pénis toujours dans le vagin (pause), ou (3) se soulever et retirer le pénis du vagin. Une fois que l'homme aura perdu l'envie d'éjaculer, reposez-vous quelques secondes puis recommencez tout le processus. Répétez en utilisant n'importe quel type de pause et aussi souvent qu'il sera nécessaire pour différer l'éjaculation pendant une durée d'environ huit minutes. Lorsque les huit minutes seront écoulées, l'homme peut éjaculer et la femme peut atteindre l'orgasme.

Répétez cet exercice au moins deux fois ou jusqu'à ce que vous puissiez maintenir la pénétration sans éjaculation pendant au moins huit minutes.

Difficultés possibles

Aucun problème mineur ne doit vous troubler ou vous décourager si vous réussissez le dernier exercice. Par ailleurs, il n'y a habituellement aucun nouveau problème qui surgit à ce stade du traitement. Si vous avez été ennuyés par un problème qui a déjà été discuté, référez-vous à la section en question.

Étape 7: résumé des exercices

1) Pour la femme: exercices de Kegel (optionnel)

2) Pour le couple

A) Deux sessions de partage

1. Discutez de l'ambiance à créer et planifiez certaines façons spécifiques de créer cette ambiance positive pour de prochaines sessions d'échanges sexuels. Discutez également de l'utilisation de matériel érotique.

2. Discussion libre

B) Deux sessions d'échanges sexuels

Pour chaque session, voyez ensemble si la femme recevra des caresses particulières.

1. Commencez avec les préliminaires que vous voulez; l'utilisation de la compression ou de la pause avant l'intromission est optionnelle. Utilisez la position du cavalier et maintenez la pénétration pour une période de huit minutes en utilisant la pause (avec ou sans retrait), si nécessaire. La femme peut varier la position du cavalier en s'inclinant vers l'avant ou vers l'arrière.

2. Comme au 1.

Chapitre 14

PLUS DE PRATIQUE

L ors de l'étape 7, vous avez de nouveau réussi à maintenir la pénétration pendant une période de huit minutes, utilisant la pause lorsque cela s'avérait nécessaire. Vous avez peut-être également commencé à changer quelque peu votre position coïtale. Vos progrès vers une relation sexuelle sans aucune restriction, avec une amélioration de votre contrôle éjaculatoire, sont maintenant très rapides. Vous avez également discuté de la façon de créer une ambiance positive lors de vos échanges sexuels; vous l'avez déjà mise à exécution. De plus, vous devez avoir décidé s'il y a lieu d'inclure du matériel érotique afin de rehausser et de diversifier votre vie sexuelle. Si c'est le cas, vous avez également sélectionné le genre de matériel que vous utiliserez.

LEÇON No 8

Vous connaissez parfaitement la théorie et maîtrisez les techniques dont vous avez besoin pour briser votre comportement habituel d'éjaculation précoce. L'application systématique de ces techniques constitue la suite logique et obligatoire de votre nouvelle façon de répondre sexuellement. Puisque l'éjaculation précoce est le fruit de vos apprentissages, vous devez tous les deux désapprendre votre ancien comportement et adopter une nouvelle réponse sexuelle où l'homme n'éjaculera pas aussi rapidement. Pour n'importe quelle autre habileté, cet apprentissage se fera de la même façon, grâce à une pratique attentive et systématique.

En d'autres termes, vous devez maintenant commencer une pratique systématique de la pénétration au cours de laquelle vous différerez ou reporterez l'éjaculation lorsque vous expérimenterez de hauts niveaux d'excitation. Plusieurs éjaculateurs précoces commettent l'erreur d'éviter une excitation intense, espérant ainsi différer l'éjaculation. Voilà une technique vouée à l'échec puisque, de cette façon, ils perdent l'habitude d'une forte excitation. Lorsque l'excitation augmente, ils sont alors amenés rapidement à l'éjaculation, tout cela simplement par manque d'expérience. Dorénavant, votre but ne sera pas d'éviter un haut niveau d'excitation, mais plutôt de l'expérimenter et d'en prendre l'habitude en maîtrisant l'éjaculation.

La suite de ce programme s'intéressera à une pratique méthodique du contrôle éjaculatoire lors de la pénétration et d'autres activités sexuelles. De plus, des informations supplémentaires vous seront également fournies pour vous permettre de planifier de nouvelles pratiques sexuelles, une fois ce programme achevé.

L'exercice proposé cette fois sera relativement semblable au dernier, sauf que vous serez libres de choisir en tre la pause et la compression (si vous devez y avoir recours lors du coït). Vous devez aussi modifier légèrement la position du cavalier si vous ne l'avez pas déjà fait. Donc, la femme, tout en demeurant au-dessus de l'homme, changera sa position, en s'inclinant soit vers l'avant, soit vers l'arrière comme il a déjà été expliqué à l'étape 7. Rappelez-vous que tout changement de position diminuera TEMPORAIREMENT le contrôle de l'homme sur son éjaculation. Ne vous découragez donc pas si vous éprouvez plus de difficultés que vous en aviez lors des dernières semaines. Finalement, si ce n'est pas déjà fait, l'homme commencera à exercer de légers mouvements durant la pénétration.

Exercice 8

A) **Pour la femme:** exercices de Kegel (optionnel)

B) **Pour le couple**

1. Sessions de partage

Comme auparavant, vous aurez deux sessions de partage, dont l'une où le sujet de conversation sera libre. Dans l'autre, vous devrez partager vos réactions face à l'utilisation de la pause et de la compression, lors des préliminaires et du coït. Discutez des avantages et des inconvénients de chacune de ces techniques et comparez ensemble vos préférences. Ceci ne requiert pas énormément de temps, surtout s'il est clair que vous préférez tous les deux la même technique. Assurez-vous seulement que vous avez pris suffisamment de temps pour exprimer vos préférences et pour prêter attention à celles de votre partenaire.

2. Sessions d'échanges sexuels

Vous devez consacrer au moins deux sessions d'échanges sexuels telles que décrites plus bas. Pour chacune, vous devez décider ensemble quelles sortes de caresses et de stimulations la femme doit recevoir, en plus des préliminaires mutuels et de la pénétration.

Commencez votre session d'échanges sexuels avec les préliminaires de votre choix. Souvenez-vous de ne pas entreprendre la pénétration lorsque l'homme se trouve au sommet de l'excitation ou près du point d'imminence éjaculatoire. Vous devez évaluer s'il vous faut ou si vous voulez utiliser la pause ou la compression, avant l'intromission. Encore une fois, si vous décidez d'utiliser l'une ou l'autre de ces techniques avant la pénétration, choisissez celle que vous préférez.

Une fois l'homme parvenu à l'érection ou après avoir eu recours à une, à deux ou à plusieurs compressions ou pauses afin de différer l'éjaculation, vous devez prendre la position du cavalier. La femme insérera alors le pénis dans son vagin. À ce moment, variez quelque peu la position du cavalier. Pour ce faire, la femme s'inclinera soit vers l'avant, soit vers l'arrière. Si elle se penche vers l'avant, elle peut vouloir également étendre ses jambes derrière elle et se coucher sur son partenaire, se supportant à l'aide de ses mains ou de ses bras.

La femme peut exécuter de légers mouvements. De plus, si l'homme n'a pas de difficulté à assumer son contrôle éjaculatoire, il peut lui aussi commencer à faire de légers et de petits mouvements. Par la suite, on peut graduellement augmenter le rythme des mouvements. Cependant, ils doivent encore être suffisamment contrôlés afin que l'homme ne se retrouve pas immédiatement au-delà du point d'imminence éjaculatoire. Encore une fois, l'idéal consiste à avoir assez de contrôle pour que vous n'ayez pas à utiliser la pause ou la compression. En revanche, si le point de non-retour approche, l'homme doit le signaler à sa partenaire, qui arrêtera alors tout mouvement (ou) se soulèvera et retirera le pénis de son vagin, selon ce qui semble alors le plus approprié pour prévenir l'éjaculation. Une fois l'envie d'éjaculer disparue, vous devez vous reposer de 10 à 30 secondes et réinsérer le pénis dans le vagin. Répétez ce processus en utilisant la pause ou la compression aussi souvent qu'il sera nécessaire pour différer l'éjaculation, durant une période minimale de huit minutes. Par la suite, vous pouvez tous les deux agir de façon à atteindre l'orgasme.

Répétez cet exercice au moins deux fois ou jusqu'à ce que vous réussissiez à maintenir la pénétration sans éjaculation pour une période d'environ huit minutes.

Difficultés possibles

Vous devriez être en mesure de résoudre les difficultés mineures susceptibles de survenir, et il ne s'en présentera probablement aucune dont il n'a pas déjà été fait mention. Mais si vous en rencontrez, référez-vous aux sections antérieures intitulées «difficultés possibles».

Étape 8: résumé des exercices

1) Pour la femme: exercices de Kegel (optionnel)

2) Pour le couple

A) Deux sessions de partage

1. Discussion des avantages et des inconvénients des techniques de la compression et de la pause. Laquelle préférez-vous?

2. Discussion libre

B) Deux sessions d'échanges sexuels

1. Décidez vous-mêmes si la femme doit recevoir des caresses supplémentaires en plus des préliminaires mutuels et de la pénétration. Variez la position du cavalier et maintenez la pénétration pendant au moins huit minutes. Utilisez la compression ou la pause (à votre choix), si nécessaire. Cette semaine, l'homme peut également entreprendre des mouvements de va-et-vient, si ce n'est pas déjà fait.

2. Comme au 1.

Chapitre 15

L'HOMME EN POSITION SUPÉRIEURE

G râce à votre travail constant depuis le début du programme, vous êtes parvenus à prolonger (en variant quelque peu la position du cavalier) une relation coïtale jusqu'à huit minutes. En outre, vous n'utilisez la compression ou la pause que si vous le jugez nécessaire. Même si vous avez encore besoin de pratique, vous reconnaissez avoir fait des progrès évidents. Félicitez-vous donc d'avoir franchi toutes ces étapes par vous-mêmes.

Vous avez également eu l'occasion de communiquer à votre partenaire vos préférences personnelles entre le recours à la compression ou à la pause. Vous avez d'ailleurs discuté des avantages et des inconvénients qu'offre chacune de ces techniques.

LEÇON No 9

Jusqu'à présent, vous avez su développer un contrôle éjaculatoire relativement bon dans une position sexuelle déterminée et ses variantes. La suite de ce programme se concentre sur une amélioration encore plus grande de ce contrôle et également sur sa réalisation dans d'autres positions ou activités sexuelles.

La position coïtale présentant le plus de difficultés en termes de contrôle éjaculatoire s'avère être la plus fréquemment utilisée par les couples américains — il s'agit de la position dite du missionnaire (l'homme étant sur le dessus). Cette position, apportant généralement plus de stimulations physiques à l'homme, ne permet souvent pas un aussi bon contrôle de l'éjaculation. Pour ces raisons, et avant de passer librement à d'autres positions ou activités sexuelles, vous devez prendre le temps de vous exercer à différer l'éjaculation en position supérieure.

Puisque cette position coïtale est «nouvelle» pour vous, il vous sera probablement plus difficile de conserver un bon contrôle éjaculatoire, comparativement aux dernières semaines. En fait, à moins d'avoir eu beaucoup de pratique, la plupart des gens CONNAÎTRONT DES DIFFICULTÉS CONSIDÉRABLES À CONTRÔLER L'ÉJACULATION DANS CETTE POSITION. Cela ne veut pas dire que vous accusez un recul ou que vous êtes destinés à supporter éternellement une éjaculation rapide. Tout simplement, cela signifie que cette position est très stimulante et une pratique soutenue s'avère essentielle afin de parvenir à un contrôle aussi bon que dans la position du cavalier. Ne vous découragez donc pas. Exactement comme l'apprentissage du contrôle éjaculatoire fut possible en position du cavalier, vous y parviendrez dans la position du missionnaire. Mais auparavant et puisque le contrôle éjaculatoire dans cette position reste difficile pour la plupart des couples, vous devez utiliser la compression avant l'intromission. De plus, vous aurez à pratiquer les deux techniques (la compression et la pause) lors du coït.

Un mot d'avertissement: l'application de la technique de compression est plus difficile dans la position du missionnaire que dans celle du cavalier. Par conséquent, vous devez vous exercer à faire les mouvements nécessaires pour y parvenir. Puisque l'homme se trouve sur le dessus, il aura la responsabilité de retirer le pénis du vagin au moment opportun. Il peut alors soit (1) continuer à se supporter au-dessus de sa partenaire à l'aide de ses mains et de ses jambes pendant qu'elle compresse, soit (2) rouler à côté d'elle, l'un ou l'autre pouvant ainsi appliquer la compression. Vous devez donc décider lequel de vous deux appliquera la compression et simuler les mouvements pour y parvenir BIEN AVANT QU'ILS NE SOIENT INDISPENSABLES — ainsi, chacun saura quel rôle jouer et sera prêt au moment indiqué.

De plus, puisque le coït, dans cette position, sera plus long que ce que vous avez connu par le passé, l'homme doit se supporter au moins partiellement au-dessus de sa partenaire de façon à ne pas l'écraser ou l'étouffer.

En outre, vous devez avoir deux séances d'échanges sexuels. Au cours de la première, vous utiliserez la compression après l'intromission, s'il y a lieu, tandis que dans la deuxième, vous aurez recours à la pause. Pour l'instant, vous devez retirer le pénis du vagin afin d'effectuer la pause. De plus, la pause doit être d'une durée suffisante afin que l'homme perde complètement l'envie d'éjaculer. Comme avec la compression, vous devez décider exactement quelle est la meilleure façon de faire cette manoeuvre et la pratiquer au préalable.

Exercice 9

A) Pour le couple

1. Sessions de partage

Réservez-vous une session pour converser sur un sujet de votre choix. Planifiez aussi une session de partage afin de discuter de la fréquence de vos relations sexuelles, particulièrement lorsqu'il y a relation coïtale. Il s'agit d'une question très importante pour les couples. La plupart du temps, l'un des deux désire faire l'amour plus souvent que l'autre. Si vous n'arrivez pas à un consensus, l'un des partenaires se sentira frustré et rejeté tandis que l'autre éprouvera comme une contrainte le fait d'avoir trop de relations sexuelles. Néanmoins, il est habituellement possible d'en arriver à un compromis satisfaisant pour les deux partenaires. Explorez les types d'arrangement possibles si un conflit surgit. Les deux doivent faire des concessions mutuelles sinon ce ne sera qu'une solution où l'un des deux se sacrifiera. Rappelez-vous que la QUALITÉ est aussi importante que la QUANTITÉ, notamment dans le domaine sexuel.

Un autre point important à considérer: la façon d'intégrer la sexualité dans une vie déjà surchargée. Souvent, les couples se mettent d'accord sur la fréquence idéale, mais ils s'aperçoivent que leur fréquence actuelle et moins élevée que ce qu'ils souhaiteraient. Nous partageons tout notre temps et nos énergies dans différentes activités. Aussitôt que nous n'avons plus d'exercices prescrits, la sexualité se trouve en perte de vitesse dans cette mêlée. Il y aurait donc lieu de planifier un horaire réaliste à l'endroit des relations sexuelles. Lorsque vous en serez arrivés à une entente en ce qui a trait à la fréquence optimale des relations, vous devrez vérifier s'il est réaliste d'espérer faire l'amour aussi souvent ou aussi peu souvent. Si ce n'est pas le cas, revenez à une fréquence plus appropriée. Vous pouvez également discuter de différentes stratégies afin de maximiser vos chances d'atteindre le but fixé. Pour vous aider, relevez la façon dont vous employez votre temps à des activités moins importantes, mais plus faciles que des relations sexuelles (la télévision est souvent la coupable). Faites en sorte de limiter ce temps perdu. Ainsi, vous pouvez convenir de ne pas regarder la télévision les soirs de fin de semaine, ou trois soirs par semaine. Cela vous laissera suffisamment de temps pour vous livrer à des activités que vous préférez de toute façon, à savoir une expérience sexuelle partagée. Vous pouvez également essayer d'avoir des relations sexuelles à d'autres moments: vous pouvez déjeuner au lit le samedi matin et finir en beauté par une relation sexuelle.

Plusieurs couples considèrent qu'une fois le programme terminé il est important pour eux de noter la fréquence de leurs relations sexuelles. Peut-être vous apercevrez-vous alors que votre rythme d'activités sexuelles diminue, et il vous sera plus facile de résoudre ce problème avant que de mauvaises habitudes soient trop fermement enracinées et, par le fait même, difficiles à enrayer. Il est facile de dresser un bilan de votre rythme d'activités sexuelles. Il s'agit simplement de marquer le calendrier d'un «✔» ou d'un «x» les jours où vous avez une relation sexuelle. Vous pouvez également y indiquer les jours où l'éjaculation fut plus précoce (en encerclant le «x»); ainsi, vous ne reviendrez pas à une éjaculation précoce sans vous en rendre compte. Cet aide-mémoire vous permettra de prendre conscience des problèmes qui peuvent surgir et de les corriger au fur et à mesure, plutôt que d'attendre qu'ils soient bien ancrés et difficiles à corriger.

En somme, consacrez une session de partage (elle sera probablement relativement longue) à discuter de vos préférences en termes de fréquence sexuelle et tentez d'en arriver à un compromis acceptable. En outre, vous discuterez de tout écart entre la fréquence idéale et celle que vous pouvez vous permettre. Élaborez également une stratégie afin d'atteindre cet objectif. Vous devez aussi planifier une méthode pour vous rafraîchir ultérieurement la mémoire en ce qui a trait à votre pratique sexuelle, une fois ce programme achevé.

2. Sessions d'échanges sexuels

Vous devez avoir un minimum de deux sessions d'échanges sexuels, telles que nous les décrivons plus bas. Puisque cette semaine, contrairement aux précédentes, il vous sera probablement plus difficile de conserver le contrôle de votre éjaculation, vous devez inclure certaines caresses supplémentaires pour la femme, durant ces sessions sexuelles.

Il est important de déterminer vos rôles réciproques avant de commencer ces sessions sexuelles. Cela signifie que, si vous avez besoin de recourir à la compression, vous devez déterminer lequel de vous deux se déplacera et de quelle façon. De plus, la compression reste plus difficile à pratiquer dans la position du missionnaire; il est donc important de vous y exercer avant que son application soit urgente.

Commencez vos sessions d'échanges sexuels avec ce qui vous semble le plus agréable. Vous devez appliquer la compression au moins deux fois AVANT l'intromission, afin de diminuer le niveau d'excitation de l'homme.

Par la suite, l'homme en position supérieure devra insérer son pénis dans le vagin. Il importe de synchroniser vos actions de façon à ne pas effectuer l'intromission lorsque l'homme se trouve au sommet de l'excitation. Au début, ne faites pas de mouvement. Si l'excitation demeure sous votre contrôle, vous pouvez tous les deux commencer les mouvements de va-et-vient, mais contrôlez-les soigneusement de façon à ce que l'homme ne parvienne pas jusqu'à l'éjaculation. Vous devez essayer de maintenir la pénétration sans compression pendant une période de cinq à huit minutes. Par ailleurs, si l'homme sent qu'il approche du point d'imminence éjaculatoire, il doit se retirer immédiatement et vous devez appliquer la compression, comme lors de la simulation. Reposez-vous de 10 à 30 secondes et recommencez tout le processus. Essayez de maintenir la pénétration pendant une période d'environ cinq à huit minutes. Si cela vous est impossible, utilisez au moins trois compressions.

La deuxième session doit être une répétition de la première, à une exception près. Cette fois-ci, vous substituerez la pause à la compression, si c'est nécessaire. Pour cette semaine, retirez le pénis du vagin afin d'effectuer la pause. Assurez-vous auparavant d'avoir établi et simulé la procédure à suivre.

Il ne faut pas passer au prochain exercice avant d'avoir réussi chacune de ces sessions.

Difficultés possibles

Plusieurs couples éprouvent des difficultés à contrôler l'éjaculation lorsque l'homme se trouve en position supérieure. Si vous avez ce problème, la solution est: (1) de ne pas vous tracasser outre mesure, ni vous décourager; (2) de pratiquer un peu plus souvent. Chaque fois qu'un couple adopte une nouvelle position, il fait face à une certaine perte de contrôle de l'éjaculation, particulièrement cette fois-ci, puisque cette position fournit une quantité accrue de stimulations physiques à la plupart des hommes.

En général, pour vaincre cette perte de contrôle, il s'agit tout simplement d'ajouter quelques pratiques supplémentaires. Si vous avez beaucoup de difficultés et si vous vous sentez réellement mal à l'aise, revenez en arrière et répétez les exercices. Si vous réussissez les sessions d'échanges sexuels de l'étape 9 et ce, même si vous ajoutez des compressions et des pauses, poursuivez le programme et passez à la prochaine étape. Par la pratique, vous acquerrez de plus en plus de contrôle.

Puisque vous n'éprouverez probablement plus aucun problème qui n'ait déjà été discuté et que vous pouvez probablement résoudre par vous-mêmes les problèmes mineurs, vous n'avez plus à revenir sur les étapes antérieures traitant des difficultés possibles.

Étape 9: résumé des exercices

1) Pour la femme: exercices de Kegel (optionnel)

2) Pour le couple

A) Deux sessions de partage

1. Dans l'une, votre sujet de conversation portera sur:

a) Préférence de fréquence sexuelle;

b) Un compromis s'il y a divergence;

c) Différence entre la fréquence idéale et la fréquence réaliste;

d) Atteinte d'une fréquence réaliste;

e) Nécessité d'avoir un aide-mémoire concernant votre fréquence sexuelle et votre degré de satisfaction face à votre contrôle éjaculatoire.

2. Discussion libre

B) Deux sessions d'échanges sexuels

Dans chacune des sessions, inclure des caresses supplémentaires pour la femme. Pour votre pratique, cette semaine:

1. Commencez avec n'importe quels préliminaires. Utilisez la compression au moins deux fois avant l'intromission. L'homme en position supérieure doit maintenir la pénétration pendant une période d'environ cinq à huit minutes, utilisant la compression si nécessaire.

2. Comme au 1, mais retirez le pénis du vagin pour faire la pause au lieu de la compression.

Chapitre 16

L'HOMME EN POSITION SUPÉRIEURE, UNE FOIS DE PLUS

V ous avez maintenant réussi à différer l'éjaculation dans une position extrêmement difficile. Vous avez également eu l'occasion de discuter de différents aspects reliés à la fréquence sexuelle: (1) D'abord, quelle est la préférence de chacun en termes de fréquence de relations sexuelles? (2) Par la suite, vous en êtes arrivés à un compromis s'il y a divergence. (3) Vous vous êtes demandé s'il y a un écart entre la fréquence idéale et la fréquence réaliste. (4) Par ailleurs, vous avez mis au point une stratégie afin que vos attentes réalistes soient respectées. (5) Enfin, vous avez établi un système de remémorisation en ce qui a trait à votre fréquence sexuelle et à votre satisfaction, concernant le contrôle éjaculatoire. Ainsi, vous êtes en mesure d'éliminer les problèmes dès qu'ils s'annonceront. Présentement, vous surmontez vos difficultés sexuelles et planifiez des actions concrètes afin d'éviter les problèmes éventuels; il s'agit d'une évolution réelle et d'une amélioration très importante.

LEÇON No 10

À l'étape 10, vous répéterez le dernier exercice de façon à améliorer votre performance dans la position du «missionnaire». Toutefois, certaines modifications mineures seront apportées. En outre, vous aurez une plus grande liberté d'action. De façon plus spécifique, vous n'aurez pas à recourir à la compression ou à la pause avant l'intromission. Vous prolongerez la relation coïtale dans la position du missionnaire durant une période d'environ huit minutes, utilisant la compression ou la pause si nécessaire ou selon votre désir.

Puisque vous en êtes seulement à votre deuxième étape en utilisant la position du missionnaire, vous devez encore vous attendre à rencontrer certaines difficultés en regard du contrôle éjaculatoire. Par conséquent, l'homme devra être attentif à son niveau d'excitation afin de garder son rythme suffisamment bas pour maintenir la pénétration durant une période d'environ 8 minutes. De plus, vous devez pouvoir arrêter et utiliser la compression ou la pause suffisamment tôt afin de différer l'éjaculation. Rappelez-vous, que cette façon de faire est tout à fait indiquée pour s'assurer de l'efficacité de son contrôle.

Exercice 10

A) Pour la femme: Exercices de Kegel (optionnel)

B) Pour le couple

1) Sessions de partage

172

Au cours de cette étape, pour l'une des deux sessions de partage, vous devez choisir le thème à discuter ainsi que le temps à y consacrer. Vous devez également déterminer la longueur de l'autre session. Il se pourrait qu'elle soit relativement brève. Lors de cette session, vous partagerez vos réactions face à l'utilisation de la position du missionnaire, comparativement à la position du cavalier. Chacune a ses mérites (la position du cavalier permet une plus grande stimulation clitoridienne chez certaines femmes, alors que la position du missionnaire peut être vécue comme plus intime et plus affectueuse). Ne vous sentez pas obligés de choisir l'une au détriment de l'autre. Échangez sur ce que vous aimez ou n'aimez pas (s'il y a des aspects que vous n'aimez pas, bien sûr) de chaque position. Vous pouvez aussi confier à votre partenaire à quel moment vous préférez l'une plus que l'autre. Par exemple, vous pouvez adopter la position du cavalier lorsque vous êtes tous les deux très excités, mais opter pour la position du missionnaire lorsque vous voulez plus de liberté afin que l'homme contrôle sa vitesse de mouvements et la profondeur de la pénétration. Assurez-vous de vous accorder suffisamment de temps pour exprimer votre point de vue et pour prendre connaissance de celui de votre partenaire.

2. Sessions d'échanges sexuels
Session 1.

Vous aurez au moins deux sessions d'échanges sexuels en utilisant la position du missionnaire. Au cours de ces cessions, vous devez tous les deux choisir quelles seront les caresses accordées à la famme et en déterminer la durée. Lorsque c'est au tour de l'homme de recevoir, commencez avec les préliminaires désirés. L'utilisation de la compression ou de la pause avant l'intromission est laissée entièrement à votre discrétion, mais prenez garde de ne pas commencer l'intromission lorsque l'homme se trouve au sommet de l'excitation. Dans la position du missionnaire, insérez le pénis dans le vagin (cela est généralement simple si la femme fait glisser le pénis dans son vagin, tenant d'une main les lèvres ouvertes et dirigeant le pénis de l'autre). Vous pouvez bouger tous les deux, mais contrôlez suffisamment vos mouvements afin de maîtriser le niveau d'excitation de l'homme.

Essayez de maintenir la pénétration dans cette position durant environ huit minutes, sans utiliser la compression ou la pause. Néanmoins, si vous devez recourir à l'une ou l'autre de ces techniques, n'hésitez pas. Souvenez-vous qu'il vaut mieux y aller de plus de compression ou de pauses qu'il n'en faut plutôt que de risquer d'éjaculer trop rapidement.

Si vous décidez de faire une pause, vous pouvez choisir la modalité qui vous convient: ou bien ralentir simplement vos mouvements, ou cesser tout mouvement mais en gardant le pénis à l'intérieur du vagin, ou choisir de vous retirer entièrement. Le recours à la compression ou à la pause et la façon de pratiquer cette dernière sont entièrement de votre ressort. Basez-vous sur vos expériences et sur vos sensations présentes.

Session 2: répétition du même exercice

Ne passez pas à l'étape suivante avant d'avoir réussi à maintenir la pénétration dans cette position, pendant environ huit minutes.

Étape 10: résumé des exercices

174

1) Pour la femme: exercices de Kegel (optionnel)

2) Pour le couple

A) Sessions de partage

    1. Discussion sur les avantages et les inconvénients de la position du missionnaire par rapport à la position du cavalier.

    2. Discussion libre.

B) Deux sessions d'échanges sexuels

    1. Caresses optionnelles pour la femme. Dans la position du missionnaire, maintenir la pénétration pendant environ huit minutes, utilisant si nécessaire la compression ou la pause.

    2. Comme au 1.

Chapitre 17

LE POINT FINAL

V ous maîtrisez maintenant votre éjaculation en utilisant une deuxième position. De plus, à la dernière
étape, vous avez eu l'occasion de discuter de ce que vous
aimez et n'aimez pas en ce qui concerne chacune de ces
positions. Vous devez être fiers des progrès réalisés qui
vous ont rapprochés considérablement de vos objectifs.

LEÇON No 11

Aucun exercice sexuel spécifique n'est prescrit au
cours de cette étape. Vous devriez néanmoins prendre le
temps d'améliorer ce que vous considérez comme vos
faiblesses. Chez la plupart des couples, ce sera la position du missionnaire. D'autres, pourtant, auront besoin
de s'exercer davantage dans la position du cavalier. Si
vous vous retrouvez dans l'une ou l'autre de ces catégo-
ries, vous devriez pratiquer ces positions. En revanche, si
vous formez l'un de ces rares couples qui maîtrisent parfaitement ces deux positions, vous êtes maintenant tota-

lement libres de vos activités sexuelles, c'est-à-dire de fixer la durée de la relation sexuelle ainsi que le nombre de compressions ou de pauses. En effet, vous achevez ce programme et vous êtes maintenant prêts à recommencer à choisir vos activités sexuelles.

Cet exercice et le suivant ont été ajoutés afin de vous donner l'occasion de déterminer vos besoins et vos désirs sexuels. Vos nouvelles acquisitions vous offrent maintenant l'occasion d'avoir beaucoup plus de liberté du point de vue sexuel.

Exercice 11

A) Pour le couple

1. Sessions de partage

Une fois cette étape franchie, nous ne prescrirons plus de sessions de partage. Toutefois, cette semaine, vous devriez en avoir deux. Au cours de la première, discutez de ce qu'il adviendra des sessions de partage dans votre couple. La plupart des gens rapportent que ces sessions ont été très bénéfiques, permettant de nouvelles démonstrations d'intimité et de partage dans leur vie de couple. Plusieurs projettent d'en faire une habitude de vie. Par ailleurs, les problèmes sexuels sont presque toujours associés à un manque d'intimité et de communication franche entre les partenaires. Si vous abandonnez les sessions de partage, vous vous apercevrez probablement que vos relations sexuelles se détérioreront au même rythme que votre communciation. Pourtant, vous serez bientôt laissés à vous-mêmes, et vous devrez prendre vos propres décisions. Les sessions de partage peuvent-elles être bénéfiques pour vous? Voulez-vous qu'elles se poursuivent? À quelle fréquence doivent-elles se produire dans le futur? Ces questions sont toutes soulevées afin que vous y répondiez. Discutez-en honnêtement et franchement.

2. Sessions d'échanges sexuels

Vous avez maintenant repris en main vos activités sexuelles. Toutefois, il serait préférable de prendre le temps d'améliorer les points faibles remarqués au cours des dix premières étapes. Si vous vous sentez suffisamment habiles et n'avez réellement pas besoin de pratique supplémentaire, vous êtes complètement libres d'entreprendre tout ce que vous voulez. Cependant, si vous avez le moindre doute ou si vous éprouvez simplement le besoin de vous exercer davantage, à quelque niveau que ce soit, consacrez ce temps à la pratique. Bientôt, vous serez totalement libres.

En somme, vous pouvez maintenant adopter n'importe quelle position. Vous êtes également libres de la durée ainsi que de la fréquence de vos relations sexuelles. Vous devez néanmoins vous rappeler tout ce que vous avez appris jusqu'à présent. Une pratique régulière s'avère importante (probablement deux fois ou plus par semaine), afin de vous améliorer davantage. Soyez vigilants pour ne pas revenir au point de départ, où régulièrement l'homme éjacule rapidement. Vous avez acquis les connaissances nécessaires pour que cela ne se reproduise pas. Continuez de mettre en pratique ce que vous avez appris.

Étape 11: résumé des exercices

1) Pour la femme: exercices de Kegel (optionnel)
2) Pour le couple

A) Deux sessions de partage

1. Discutez de l'utilisation future des sessions de partage.

2. Discussion libre.

B) Sessions d'échanges sexuels

Décidez vous-mêmes du contenu des sessions. Pratiquez ce que l'un et/ou l'autre considère comme des faiblesses et amusez-vous bien.

Chapitre 18

PLANIFICATION POUR LE FUTUR

Au cours de la dernière étape, après une lecture attentive de ce chapitre, vous devrez réfléchir sur son contenu puis en discuter. En outre, vous devriez continuer à jouir de relations sexuelles régulières et satisfaisantes.

En réponse à vos attentes...

Idéalement, vous aimeriez sans doute pouvoir contrôler complètement l'éjaculation de l'homme. Pourtant, une telle réussite après seulement quelques semaines de pratique reste peu probable. Une prévision plus réaliste consiste à envisager la possibilité de prolonger la pénétration et de différer l'éjaculation, aussi longtemps que vous le désirez. Pour certains, l'utilisation régulière et fréquente de la compression ou de la pause peut encore être nécessaire. Néanmoins, si vous utilisez ces deux méthodes, elles doivent maintenant faire partie intégrante de vos techniques amoureuses régulières et ne pas être considérées comme des interruptions artificielles de vos activités sexuelles. En effet, il est fort possible de jouir d'une vie sexuelle naturelle et sans contrainte tout en incorporant dans votre répertoire sexuel régulier les techniques de la compression ou de la pause.

D'ailleurs, si vous réussissez les exercices, votre performance s'avérera probablement supérieure à celle de la majorité des couples. Nous l'avons mentionné plus tôt, Kinsey situe dans un intervalle de deux minutes, suivant le début de la pénétration, l'éjaculation de 75 p. cent des Américains. Or, les constats accumulés indiquent que plusieurs couples (sinon la plupart) réussissant des périodes de pénétration prolongées utilisent spontanément la pause. Ils la pratiquent en ralentissant le rythme de leurs mouvements, en s'arrêtant quelques temps ou encore en retirant le pénis afin de changer de position. En d'autres termes, ils s'arrêtent naturellement et facilement. Ces arrêts et ces départs sont vécus comme une partie naturelle de leurs jeux amoureux. Vous pouvez également prolonger vos activités sexuelles puisque vous êtes maintenant probablement très habiles dans l'utilisation de la compression et de la pause.

Peut-être avez-vous l'impression que ces explications ont entraîné de nombreuses redites... et vous avez parfaitement raison. D'une façon intentionnelle, plusieurs chapitres ont mis en évidence les données de Kinsey et l'utilisation naturelle de la pause. La raison en est simple: très souvent les couples ayant des problèmes d'éjaculation précoce ont aussi développé des attentes irréalistes face à ce que doit être «une sexualité normale». Fréquemment, les couples en traitement ont l'impression que le couple dit «normal» peut soutenir aussi long-

182

temps qu'il le désire (souvent une heure et plus) une pénétration vigoureuse et ininterrompue. Malheureusement, ces couples éjaculateurs précoces se considèrent souvent comme de piètres amoureux à moins qu'ils ne puissent réussir des relations coïtales d'une telle longueur, sans aucune pause ou compression. Durant cette dernière étape, vous devez examiner vos propres attentes et vérifier si vous ne vous seriez pas fixé des buts trop élevés. Effectivement, il peut être agréable de connaître une relation coïtale d'une heure sans pause, mais peu de personnes y parviennent. Si vous ne visez qu'à atteindre une telle performance, il vous sera impossible d'apprécier tous les progrès accomplis jusqu'à présent. De plus, vos relations sexuelles peuvent être vécues comme un échec alors qu'actuellement vous possédez un meilleur contrôle que la plupart des couples.

Perspectives d'avenir
Le maintien des nouvelles acquisitions

Vous avez donc acquis toutes les connaissances nécessaires pour poursuivre l'entraînement et ainsi vous améliorer davantage. Vous n'avez plus qu'à continuer à vous exercer à différer votre éjaculation. Souvenez-vous que l'éjaculation précoce est le résultat d'une habitude apprise; par conséquent, pour la corriger, vous devez apprendre de nouveaux comportements sexuels. L'acquisition de toute nouvelle habileté (l'habileté à différer l'éjaculation y comprise) implique une pratique régulière sinon il en résultera probablement un retour à l'éjaculation précoce.

Loin de nous l'idée de vous demander de planifier des sessions spéciales d'entraînement. Toutefois, au cours de vos activités sexuelles régulières et habituelles, vous devez vous assurer de la capacité de l'homme à différer son éjaculation. Cela ne veut pas dire que VOUS DEVEZ TOUJOURS prolonger le coît pour une période de cinq à dix minutes ou plus, mais vous devez maintenir un temps de pénétration suffisamment long afin de satisfaire votre partenaire. Quoique vous ne devriez pas hésiter à utiliser régulièrement les techniques de compression ou de pause si le besoin s'en fait sentir, elles doivent d'ailleurs être considérées comme un ajout normal et agréable à vos techniques amoureuses habituelles. Vous constaterez probablement que, par une pratique soutenue des différents exercices de ce programme, l'utilisation de la compression ou de la pause deviendra de moins en moins nécessaire.

À l'instar des spécialistes en thérapies sexuelles, nous vous faisons deux recommandations. Premièrement, continuez à avoir des expériences sexuelles sur une base régulière. Si votre fréquence diminue, votre contrôle sur l'éjaculation risque aussi de diminuer. Deuxièmement, au moins une fois par semaine, pour les prochains six mois, continuez à faire quelques compressions ou quelques pauses durant les préliminaires. Après cette période et au moins pour certaines de vos relations sexuelles, il est recommandé d'avoir recours à la compression ou la pause avant l'intromission.

Il est important de continuer à pratiquer ces deux techniques puisque vos nouvelles habitudes de contrôle éjaculatoire ne sont pas encore fermement intégrées. Certains experts en sexualité estiment que les pénétrations doivent être prolongées et régulières pendant une période de six à douze mois afin de maîtriser de nouveaux comportements de contrôle éjaculatoire. Ainsi, puisque vous avez amélioré votre contrôle et êtes maintenant sur la bonne voie, VOUS AVEZ BESOIN DE PLUS DE PRATIQUE AFIN DE CONSOLIDER VOS GAINS.

Problèmes de maintien
des nouveaux comportements sexuels

Tous connaîtront probablement, à un moment donné, certaines difficultés à maintenir les gains réalisés. Quelquefois, l'homme contrôlera très peu la montée éjaculatoire, d'où la possibilité d'une éjaculation rapide. Bien qu'il s'agisse d'un problème très courant, plusieurs l'acceptent très difficilement. Vous devez considérer cet incident comme anodin, puisqu'il est l'apanage de presque tout le monde. Une multitude de raisons peuvent justifier une éjaculation rapide. Comme nous l'avons déjà souligné, une période sans relations sexuelles, une nouvelle partenaire, ou une excitation intense pour quelque raison que ce soit peuvent entraîner une éjaculation rapide. L'alcool ou d'autres drogues, l'anxiété, la nervosité ou d'autres états émotifs peuvent également affecter la vitesse d'éjaculation. L'important c'est de ne pas oublier que cela se produit de temps à autre pour tout le monde. Cela ne veut pas dire que vous vous retrouverez à nouveau ou pour toujours un éjaculateur précoce. Attendez-vous à une éjaculation rapide occasionnelle, et ne vous en inquiétez pas si cela se produit. L'homme éjacule rapidement de temps en temps.

Par contre, vous devez être plus perplexes dans le cas où régulièrement, et durant une assez longue période de temps, l'homme éjacule vite. En dépit des habiletés acquises qui doivent vous permettre de contrôler l'éjaculation, il est toujours possible de retomber dans une habitude d'éjaculation rapide. Cela ne se produira pas sans que vous ne vous en aperceviez. Une, deux ou trois expériences d'éjaculation rapide n'ont rien d'alarmant; par contre, si cela se produit cinq fois, dix fois ou plus, il s'agit peut-être d'un indice du développement d'une autre poussée d'éjaculation précoce. Si vous constatez cet état de choses, vous devez y remédier avant que cette habitude ne soit solidement implantée. Prenez votre temps lorsque vous faites l'amour. Pendant quelque temps, utilisez de nouveau la compression et/ou la pause afin de différer régulièrement l'éjaculation. Vous pouvez toujours retourner aux données de ce volume si nécessaire. La décision vous appartient et, à moins d'être moins vigilant, vous ne développerez plus d'habitude d'éjaculation rapide. Dans le cas ou cela se produirait, vous sauriez alors comment réagir.

Plusieurs personnes constatent un arrêt dans la progression vers un meilleur contrôle de l'éjaculation. Cette situation survient lorsque nous modifions nos comportements. Le régime diététique en constitue un exemple très courant. Un individu peut perdre une ou deux livres assez rapidement, mais par la suite, le poids se stabilise souvent et cette personne ne peut plus maigrir pendant quelques semaines. Le même phénomène peut se produire lorsque vous apprenez à différer l'éjaculation. À l'instar de la diète, il suffit de persévérer et de travailler jusqu'à ce que, de nouveau, vous fassiez du progrès.

Au delà du maintien des nouvelles acquisitions... L'orgasme de la femme

Fréquemment, la partenaire d'un éjaculateur précoce ne parvient pas à l'orgasme au moyen de la pénétration. Bien que ce programme d'entraînement n'ait pas été élaboré pour aider ces femmes à devenir orgasmiques, certaines le deviennent inévitablement, d'autres non. Présentement, vous devez être plus à même d'analyser les raisons des difficultés orgasmiques de la femme. Si le manque de contrôle éjaculatoire en était la cause, elle devrait connaître actuellement de plus hauts niveaux d'excitation et bientôt, avec la pratique, atteindre l'orgasme. D'un autre côté, si après des tentatives loyales, la femme n'expérimente toujours pas plus d'excitation, la source du problème réside probablement dans une défaillance lors de ses apprentissages de la sexualité et de l'excitation. La plupart des consultants spécialisés en thérapie sexuelle croient que chaque femme possède un potentiel orgasmique durant les activités sexuelles, mais que plusieurs n'apprennent pas à l'utiliser.

Si tel est votre cas, il existe différentes méthodes susceptibles de vous aider à développer vos capacités orgasmiques. La plus économique, et probablement à la portée de toutes les bourses, consiste à acheter un livre comme celui-ci (Heiman, J., LoPiccolo, L., LoPiccolo, J., *ORGASME,* Quebecor, 1979).

Deuxièmement, quoique plus onéreux, vous pouvez contacter un(e) spécialiste en thérapie sexuelle compétent(e) qui vous aidrea à découvrir comment parvenir à l'orgasme. Il existe des méthodes très efficaces pour y parvenir. Bien que ces techniques soient expliquées à l'intérieur des livres que nous vous recommandons, un(e) bon(ne) thérapeute peut vous aider à les utiliser plus efficacement. Nous vous conseillons tout de même de patienter un peu afin de vérifier si la pénétration prolongée elle-même ne donnera pas plus de satisfaction à la femme.

Le sexe bucco-génital

Dans cette section, nous vous faisons certaines suggestions de nature à rendre plus agréables vos relations sexuelles déjà améliorées. Il existe, bien sûr, une infinité de possibilités et vous êtes les seuls en mesure d'établir celles qui vous conviennent.

Quoique certains s'objectent fortement aux contacts bucco-génitaux, ils n'ont rien de sale, de dégoûtant, d'immoral ou de mauvais. Au contraire, il s'agit d'une pratique agréable, excitante, et parfaitement normale. Nous vous encourageons à ajouter cette activité à votre répertoire sexuel, si ce n'est pas déjà fait. Par ailleurs, soyez conscients des doutes ou des inhibitions qui vous assaillent face à une telle pratique. Réalisez qu'il vous faudra peut-être un certain temps pour parvenir à les surmonter. Faites un essai loyal. Si vous utilisez déjà les contacts bucco-génitaux dans vos jeux amoureux, continuer à y prendre plaisir.

Certains hommes éprouveront de la difficulté à contrôler leur éjaculation s'ils sont stimulés oralement. Dans ce cas, n'oubliez pas l'objet de ce volume. Votre contrôle éjaculatoire pendant la pénétration n'implique pas obligatoirement la même rigidité lors d'une stimulation orale. Si le recours à la compression ou à la pause devient nécessaire durant cette activité (ou durant n'importe quelle autre), n'hésitez pas à l'employer.

Positions

On peut adopter une infinité de positions lors des relations coïtales. Dans ce volume, l'accent a été mis sur deux positions qui semblent être les plus fréquemment utilisées. Cela ne signifie pas que vous devriez vous y

188

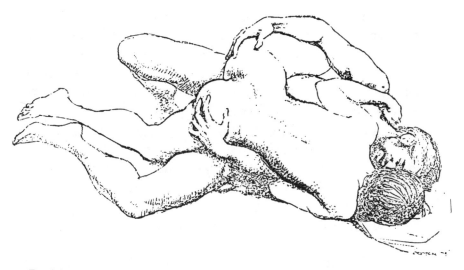

Position du coït latéral

restreindre. Nous vous recommandons vigoureusement d'en expérimenter d'autres. Ces nouvelles positions peuvent apporter beaucoup de variété et de piquant à votre vie sexuelle et ce, même si elles ne sont utilisées qu'occasionnellement.

Une position recommandée par Masters et Johnson est celle du coït latéral. Elle demande une certaine pratique si l'on veut se mouvoir plus facilement. Plusieurs la trouvent extrêmement agréable et confortable. D'ailleurs, elle est tellement appréciée que Masters et Johnson rapportent que la plupart des couples qu'ils ont traités l'utilisent presque tout le temps.

Dans cette position, les deux partenaires se font face, tout en étant plus ou moins étendus sur le côté, de manière à empêcher que l'un ou l'autre soit immobilisé ou encore comprimé. De plus, chaque partenaire peut contrôler ses propres mouvements. Cette position étant très appréciée, vous devez au moins prendre le temps de vous y initier. À la lumière de cette expérience, sur la base d'une bonne compréhension de cette position et compte tenu de la facilité de l'utiliser, vous pourrez alors décider de son emploi futur.

La position reste difficile à saisir pour ceux qui ne l'ont pas déjà utilisée. Lors de votre premier essai, vous voudrez sans doute lire cette explication en même temps que vous l'essayez. En partant de la position du cavalier, la femme peut s'allonger vers l'avant, sa poitrine contre celle de l'homme. Elle étend une jambe à côté de celle de l'homme et replie l'autre au niveau de la hanche et du genou. L'homme allonge la jambe qui se trouve du même côté que la jambe étendue de la femme. Le couple roule alors du côté des jambes tendues. La position du coït latéral demande un certain effort d'apprentissage, mais elle laisse beaucoup de liberté ainsi qu'un bon contrôle éjaculatoire puisqu'elle permet de bouger très facilement.

Ce volume ne se présente aucunement comme une encyclopédie des positions sexuelles, mais il importe de faire mentions de quelques-unes parmi les plus courantes. En premier lieu, dans la position du cavalier, la femme peut s'étendre vers l'avant ou vers l'arrière, autant qu'il se peut pour que cela soit à la fois excitant et confortable. Plusieurs ont réalisé qu'il peut être très stimulant pour la femme (toujours en position supérieure) de faire un demi-tour, son regard se portant donc vers les pieds de l'homme. Il faut alors placer les jambes de l'homme à l'intérieur ou à l'extérieur de celles de la femme, et les sensations varieront. Dans la position du coït latéral, vous avez le choix entre de nombreuses variantes, dépendamment de la façon dont vous vous faites face et jusqu'à quel point vous êtes étendus sur le côté.

Des positions impliquant une pénétration arrière de la femme sont également très recherchées. Il existe plusieurs possibilités qui peuvent s'étendre de la position familière à la levrette, «style animal», en passant par la position où le couple est étendu sur le côté, le dos de la femme contre le ventre de l'homme, jusqu'à la position ou la femme est étendue de tout son long sur le ventre, l'homme par-dessus elle. Ce ne sont là que quelques-unes des nombreuses positions possibles. En réalité, votre limite est uniquement déterminée par la capacité de votre imagination. Nous vous encourageons à tenter des expériences et à varier vos activités sexuelles. Mais soyez attentifs au fait que, la première fois que vous essayez une nouvelle position, l'homme peut éprouver des difficultés à contrôler son éjaculation. N'hésitez surtout pas à utiliser la compression ou la pause lorsque cela sera nécessaire.

Orgasme simultané

Bien des gens croient et agissent comme si l'orgasme simultané représentait le summum d'une relation sexuelle. Vous devez être conscients que l'orgasme simultané peut être excessivement difficile à atteindre, sans être nécessairement ce qui excite ou stimule le plus. De toute façon, si les deux partenaires atteignent l'orgasme en même temps, chacun sera centré sur son propre plaisir et sera donc incapable de retirer la moindre satisfaction de l'orgasme de son ou de sa partenaire. Pour toutes ces raisons, un couple ne doit pas nécessairement tenter d'atteindre l'orgasme simultanément. Par ailleurs, si vous essayez de temps à autre ou si cela se produit par hasard, profitez-en, mais l'orgasme simultané ne doit pas être un objectif primordial.

Amusez-vous et bonne chance

Il y a encore beaucoup à apprendre, à expérimenter et à apprécier dans le domaine de la sexualité. Heureusement, votre progression sexuelle et non sexuelle se poursuivra tout au long de votre vie. Puisque vous avez réussi à terminer ce programme, vous vous récompenserez probablement en vous offrant un présent. Nous vous recommandons les livres d'Alex Confort, *Les Joies du sexe* ou *Plus de plaisir,* qui sont disponibles en livres de poche ou reliés. Ils sont bien écrits, faciles et agréables à lire, tout en étant conformes à la vérité (plusieurs guides sexuels ne le sont malheureusement pas). Ils peuvent vous apporter de nouvelles idées et vous faire passer d'agréables moments tout en vous permettant de varier votre plaisir sexuel. Nous vous les recommandons fortement.

Vous voici maintenant en possession de nouveaux moyens pour améliorer la qualité de vos relations sexuelles. Vous pourrez dès lors continuer à jouir du fruit de vos apprentissages. Ne sombrez pas dans une routine sexuelle; sachez utiliser la compression ou la pause lorsque ce sera nécessaire et, surtout, rappelez-vous qu'une communication claire avec votre partenaire est essentielle. Gardez en mémoire ces instructions fort simples et vous serez en mesure de continuer à vous améliorer.

Chapitre 19

REMARQUES À L'ENDROIT DES THÉRAPEUTES

Q uoique ce livre ait été écrit d'abord pour permettre aux couples de traiter eux-mêmes les problèmes reliés à l'éjaculation précoce, il n'en demeure pas moins qu'un contact minimal avec un thérapeute est recommandé. Il a été établi que, dans plusieurs domaines de la psychologie et avec certains programmes d'auto-traitement, les gens éprouvent parfois de la difficulté face à tel ou tel point du programme ou à le suivre jusqu'à la fin lorsqu'il n'y a pas de contacts avec un thérapeute. D'ailleurs le rôle de celui-ci n'est-il pas d'encourager les couples à progresser? Ce n'est pas parce que les gens se laissent aller ou qu'ils ne sont pas intéressés à résoudre leurs problèmes; il semble plutôt qu'il est dans la nature humaine d'avoir de la difficulté à travailler de façon assidue, durant des semaines, à un programme orienté vers une lointaine amélioration d'une situation qui les satisfait déjà par peur d'un aspect. Notre expérience montre qu'un contact, aussi bref soit-il, avec un thérapeute — aussi peu de cinq minutes par semaine — peut régler avec succès ce problème motivationnel.

Cette conclusion est basée sur un programme de recherche qui avait pour but de vérifier l'efficacité de la thérapie présentée dans ce volume. Aux fins de la recherche, les clients recevaient un traitement standard à la clinique de psychologie ou bien ils utilisaient ce livre et avaient un contact téléphonique hebdomadaire avec un thérapeute, ou encore ils utilisaient le livre seuls. Les notes prises par un thérapeute lors des appels téléphonique avec un couple sont rapportées ici pour fin d'exemple.

Semaine du programme	Durée de la conversation téléphonique (minutes)	Sexe du sujet	Progrès, problèmes, commentaires, etc.
1	10	Homme	Bon. L'homme rapporte que sa femme tente d'avoir des rapports sexuels. Les deux aiment le programme.
2	10	Femme	La femme rapporte un manque d'énergie. Un exercice n'a pas été complété et il devra être fait cette semaine. Durant cette semaine la compression a permis le maintien de l'érection durant 47 minutes. Les deux sont enthousiastes malgré le manque d'énergie de la femme.
3	12	Homme	Très positif. L'horaire est respecté. L'humeur de la femme est meilleur. L'homme rencontre quelques problèmes avec la pause. Il y a discussion ici à propos de la masturbation chez la femme qui n'est pas prête à l'utiliser ou à se laisser aider par son partenaire. Elle rapporte ressen-

			tir du plaisir lors d'un contact oral durant les séances d'échanges.
4	12	Homme	Les deux rapportent être «transformés» par le nouveau sens de la coopération. Ils ont pris jusqu'à deux heures pour faire un exercice... ont acheté de la gelée... aimeraient prendre de l'avance sur l'horaire. Je leur dis de ne pas aller trop vite cette semaine; à vérifier à nouveau la prochaine fois. Très bonne conversation.
5	7	Femme	Tout va encore bien. La femme rapporte être heureuse de cette situation et dit qu'elle est réellement excitée au sujet du programme. Ils ont fait les sessions de partage de la semaine suivante. Il leur est permis de prendre de l'avance sur l'horaire prévu s'ils complètent tous les exercices correctement.
6	15	Femme	Ils essaient d'avoir des rapports sexuels sans la compression ou la pause et ils échouent. Aussi, il y a retour à ces techniques avec le succès habituel. L'homme a été à l'extérieur de la ville et la femme a commencé ses menstruations. Aussi, ils ont arrêté le programme. Discussion sur l'amélioration de leurs relations.
7	10	Homme	Retour au programme. Ils n'ont pas été capables de pratiquer la pause mais espèrent le faire cette semaine.
8	7	Homme	Ils aiment le programme. Ils en sont maintenant à la neuvième semaine. L'homme peut maintenant pénétrer avec la pause. Ils vont entre-

			prendre la position de l'homme par-dessus. Conversation agréable comme d'habitude.
9	10	Femme	Ce fut un échec! Ils réussissent deux compressions, mais au troisième retrait l'homme a éjaculé. Ils veulent répéter l'exercice. La femme ressent la stimulation du retrait trop fortement. Elle est découragée. Elle a été malade depuis mercredi. Je me fais aussi encourageant que possible.
10	9	Homme	Actuellement, l'homme est malade alors que la femme récupère. Aucun travail accompli cette semaine.
11	10	Femme	Ils ont complété l'étape 9 et commencé l'étape 10. La femme est malade, mais ça va aller. Les deux sont de bonne humeur.
12	8	Homme	L'homme rapporte que sa femme est un peu déprimée, mais à part ça tout va bien. Ils ont complété l'étape 10 avec grand succès.
13			Pas de téléphone. Le thérapeute est à l'extérieur de la ville.
14	8	Femme	Ils ont terminé et les deux sont très contents. La femme pense que ce programme a changé leur vie. Ils sont plus conscients des besoins de l'autre.

Les résultats de l'étude furent très clairs. Les couples recevant la thérapie en clinique surmontèrent leur problème d'éjaculation prématurée. Les couples suivant le volume avec, en plus, un contact téléphonique surmontèrent également leurs difficultés. Enfin, les couples suivant le programme sans aide le complétèrent rarement. La plupart même abandonnèrent tôt, donnant habituellement comme raison le manque de temps pour compléter les exercices.

Puisque le programme de thérapie avec contact minimal fut présenté aux couples sous forme de manuel, il semble donc que le guide écrit fournisse toutes les informations essentielles pour compléter avec succès le traitement de l'éjaculation précoce. Cependant, comme les couples avaient tendance à ne pas compléter le programme s'il n'y avait pas contact téléphonique, il semble qu'un tel contact sort une motivation importante pour plusieurs couples.

D'après les résultats de la présente recherche, les contacts thérapeutiques peuvent ne pas être faits par des thérapeutes professionnels puisque le contenu des entrevues téléphoniques n'était pas de la thérapie sexuelle en soi. Les contacts téléphoniques servaient avant tout à vérifier les progrès des couples et à les encourager à continuer. Ce rôle peut probablement être rempli par des personnes non psychologues, mais ayant quelque expérience en rapport avec le counseling. Des médecins ou d'autres conseillers pourraient bien remplir cette fonction. Nous recommandons qu'une forme quelconque de contacts soit structurée. Ces contacts devraient se faire à des moments précis et non laissés au bon vouloir du client («appelle-moi au besoin»). Les contacts avec le thérapeute n'ont pas besoin d'être intensifs. Dans notre étude, six minutes chaque semaine se sont révélées suffisantes.

La présente étude ne peut être considérée comme

définitive à cause du nombre restreint de couples atteints. D'autres recherches seront nécessaires pour confirmer ces résultats et pour clarifier le rôle du conseiller lors des contacts brefs. Mais puisque les résultats furent aussi évidents même avec un petit échantillon, nous pensons que ce programme peut être utilisé de façon efficace, avec le support et les encouragements d'un conseiller. (À ce sujet voir dans la préface ce qu'on dit de l'étude québécoises qui montre des résultats positifs même chez le groupe qui a travaillé sans conseiller.)

Au débutant en thérapie sexuelle

Si votre objectif n'est pas tellement d'aider un couple en particulier mais de vous initier au traitement sexuel en général, certaines idées additionnelles vous seront utiles. Dans notre expérience, les thérapies sexuelles, y compris les méthodes décrites dans ce livre, sont conceptualisées comme des thérapies behaviorales centrées sur des problèmes comportementaux particuliers plutôt que sur la dynamique interne ou sur des variables de personnalité. Les thérapies basées sur l'approche behaviorale, commencées durant les annés 50, se sont révélées très efficaces dans le traitement des problèmes sexuels (une brève bibliographie des travaux sur ce sujet apparaît à la fin de ce chapitre). Les autres approches ont semblé moins efficaces.

Ce volume vous fournit toute l'information nécessaire pour traiter un cas typique d'éjaculation précoce. Il n'y a pas de mécanisme ou de rationnel caché, peu importe que la thérapie soit faite par un professionnel en clinique ou par les couples chez eux. Bien sûr, même si la technique est présentée ici de façon détaillée, le clinicien pourra avoir recours, de temps à autre, à d'autres méthodes pour faciliter l'application du traitement par le couple. Ceci est particulièrement vrai lorsque des problèmes matrimoniaux ou d'autres difficultés s'ajoutent aux problèmes sexuels.

Pour de plus amples informations sur les habiletés essentielles au traitement sexuel, le clinicien pourra aussi consulter les ouvrages suivants:

Annon, Jack S., *The Behavioral Treatment of Sexual Problems, Volumes 1 and 2*, Enabling Systems, Honolulu, 1974.

Belliveau, Fred, and Richter, Lin., *Understanding Human Sexual Inadequacy*, Bantam, New York, 1970.

Kaplan, Helen S. *Le bonheur dans le couple*, Stanké, Montréal, 1975.

Lehrman, Nat., *Masters and Johnson Explained.* Playboy Press, Chicago, 1970.

LoPiccolo, J., and LoPiccolo, L., *Handbook of Sex Therapy*, Plenum Press, New York, 1978.

Masters, William H., and Johnson, Virginia E. *Les mésententes sexuelles et leur traitement.* Laffont, Paris, 1971.

Pour une compréhension plus générale des problèmes sexuels humains, les ouvrages suivants sont hautement recommandés:

Brecher, Ruth, and Brecher, Edward (eds.), *An Analysis of Human Sexual Response*, Signet, New York, 1966.

Hunt, Morton, *Sexual Behavior in the 1970s.* Dell, New York, 1974.

Katchatourian, Herant A., and Lunde, Donald T.,

Fundamentals of Human Sexuality (second edition), Holt, Rinehart, and Winston, Inc., New York, 1975.

Kinsey, Alfred C., Pomeroy, Wardell B., and Martin, Clyde E., *Sexual Behavior in the Human Male*, W.B. Saunders, Philadelphia, 1948.

Kinsey, Alfred C., Pomeroy, Wardell B., Martin, Clyde E., and Gebhard, Paul H., *Sexual behavior in the Human Female*, W.B. Saunders, Philadelphia, 1953.

Lief, Harold I., *Medical Aspects of Human Sexuality: 750 Questions Answered by 500 Authorities.* Williams and Wilkins, Baltimore, 1975.

Chapitre 20

POUR L'HOMME SANS PARTENAIRE

L a plupart des programmes de traitement de l'éjaculation précoce nécessitent la participation d'un partenaire féminin tout autant que celle de l'homme. Toutefois, plusieurs hommes présentant un problème d'éjaculation précoce n'ont pas de partenaire assidue. Ils craignent généralement de s'engager dans des activités sexuelles à cause de leurs antécédants d'éjaculation rapide. Il en résulte qu'ils ont peur d'un échec avec une nouvelle partenaire. Plusieurs, à cause de leur dysfonction sexuelle, se retirent au point d'éviter toute activité sexuelle avec des femmes.

On trouve peu de travaux portant sur des traitements appropriés à de tels cas. Une exception: l'étude du docteur Bernie Zilbergeld (1975) et de ses associés au Sex Counseling Unit de l'École de médecine de l'Université de la Californie à San Francisco. Le docteur Zilbergeld rapporte des résultats encourageants pour le traitement de l'éjaculation précoce chez des hommes sans partenaires. Les méthodes suggérées n'ont pas été expérimentées de façon très approfondie, mais comme elles semblent prometteuses, nous nous permettons de les décrire brièvement.

L'approche de Zilbergeld repose surtout sur la masturbation, la fantaisie et l'utilisation de la pause (suggérée par Semans) pour maîtriser le contrôle éjaculatoire. La première des trois étapes concerne la masturbation et le fait de porter attention aux sensations génitales durant le cycle d'activation. Lorsque le moment d'éjaculation approche inévitablement, l'homme utilise la pause et cesse toute stimulation jusqu'à ce que le besoin d'éjaculer diminue. Lorsque l'homme peut se masturber pendant quinze minutes sans éjaculer (en incluant les pauses), il passe à la deuxième étape de la procédure qui implique l'utilisation d'un lubrifiant pour l'activité de masturbation. L'utilisation d'un lubrifiant — lotion ou huile — a pour but la réalisation d'un exercice se rapprochant le plus possible de la relation sexuelle et l'augmentation du niveau d'excitation provoquée par la masturbation. Cet exercice est répété jusqu'à ce que l'homme puisse maintenir de façon confortable, et avec confiance, la masturbation durant quinze minutes sans éjaculation.

La troisième étape fait appel à la fantaisie en plus des activités masturbatoires antérieures. Zilbergeld suggère quelques idées pour les exercices phantasmatiques. Des approximations des rapports sexuels peuvent être réalisées en fantaisie durant la masturbation. Par exemple, la stimulation manuelle par un partenaire attrayant sur le plan sexuel peut être imaginée jusqu'à ce que l'éjaculation puisse être contrôlée de façon confortable par la

202

pause. Au cours d'une séance de masturbation subséquente, l'homme peut imaginer la pénétration du pénis dans le vagin sans mouvement. Les séances de masturbation suivantes peuvent être accompagnées d'images se rapprochant de plus en plus d'approximations de rapports sexuels sans inhibition. En dernier lieu, lorsque l'homme peut maintenir avec succès son contrôle sur l'éjaculation durant une séance de fantaisie sexuelle complète (depuis le premier baiser jusqu'à une relation très active), nous devrions nous attendre à ce qu'il ait un meilleur contrôle sur de telles situations de la vie réelle.

L'approche de Zilbergeld semble être l'alternative raisonnable pour les hommes qui n'ont pas de partenaire et qui désirent améliorer leur contrôle éjaculatoire. Cependant, puisqu'elles n'ont pas été expérimentées, les méthodes avec partenaire demeurent préférables lorsque c'est possible. Elles sont sensées être plus efficaces et ne provoqueront pas les problèmes de fantaisies expérimentées durant le transfert du contrôle éjaculatoire des situations imaginaires à des situations réelles.

Quelques-uns peuvent aussi avoir des difficultés à aborder une femme et à lui donner rendez-vous. Ces difficultés d'assertion et d'habiletés sociales sont souvent des problèmes sérieux et peuvent nécessiter un traitement ou un entraînement supplémentaires pour obtenir des résultats satisfaisants. Un thérapeute professionnel, un groupe d'entraînement aux habiletés sociales ou à l'assertion peuvent constituer la meilleure approche dans ce cas.

Chapitre 21

AUTRES PROBLÈMES SEXUELS

S i vous n'êtes pas certain d'avoir vraiment un problème d'éjaculation précoce, vous pouvez vouloir en savoir davantage et voir si le présent programme vous concerne. Plusieurs considèrent que ces problèmes sont des difficultés d'hommes ou de femmes. Toutefois, dans la plupart des cas, ils peuvent être mieux conceptualisés comme des difficultés relationnelles, c'est-à-dire des problèmes de couple. Comme l'ont mentionné Masters et Johnson et d'autres chercheurs, les deux partenaires sont toujours impliqués dans une dysfonction sexuelle. S'il est probable que tous deux le sont (quoique de façon non intentionnelle et sans le savoir) et sont impliqués dans l'établissement et le maintien d'un problème, il est par ailleurs essentiel qu'ils soient activement intéressés à surmonter ce problème.

Impuissance

L'impuissance, aussi appelée dysfonction érectile,

consiste dans le fait que l'homme a de la difficulté à entrer en érection ou à maintenir celle-ci assez longtemps pour compléter une relation sexuelle. Elle se produit à des degrés variés et prend différentes formes. L'impuissance primaire est relativement rare et réfère à l'homme n'ayant **jamais** réussi à maintenir une érection complète suffisante pour compléter une relation sexuelle. L'impuissance secondaire, beaucoup plus fréquente, réfère à la situation dans laquelle l'homme a pu déjà maintenir une érection de façon à compléter une relation sexuelle, sans toutefois, au moins en certaines circonstances, parvenir à maintenir son érection suffisamment longtemps.

Un fait que tous doivent reconnaître, c'est que tous les hommes, au moins occasionnellement, expérimentent des situations où ils ne peuvent provoquer ou maintenir une érection. Cela peut se produire, par exemple, lorsqu'ils boivent plus qu'à l'ordinaire, lorsqu'ils sont préoccupés par des problèmes domestiques ou autres, après une dispute avec leur partenaire sexuel, lorsqu'ils prennent divers médicaments ou pour une foule d'autres raisons. À part ces expériences occasionnelles de difficultés érectiles, la fréquence des réussites peut quand même se situer à près de 100 p. cent. De telles expériences ne devraient pas être conçues comme de l'impuissance ou comme un mauvais présage d'un problème sexuel, mais plutôt comme une variation normale dans le fonctionnement sexuel. Toutefois, si la difficulté de parvenir à une érection se répète trop souvent, cela constitue un problème, et il pourra même devenir nécessaire de demander une aide professionnelle.

Les problèmes d'érection peuvent provenir d'éléments difficiles à déterminer clairement. Occasionnellement, l'impuissance résulte d'un seul épisode au cours duquel l'homme peut ne pas être capable d'entrer en érection pour une raison tout à fait normale comme la nervosité, la prise d'un nouveau médicament, une préoccupation quelconque, l'absorption d'un ou deux verres de trop. Il importe que chacun reconnaisse que cette difficulté occasionnelle est normale. Il serait aussi important de ne pas s'en faire à propos d'un fait isolé de dysfonction érectile. Malheureusement, plusieurs prennent un seul épisode d'une performance inadéquate comme une indication d'un manque de virilité. Ils pensent déjà à cet échec pour la prochaine fois qu'ils auront un rapport sexuel. Parce qu'ils sont inquiets, ils prennent quelques verres pour calmer leur anxiété, ou ils sont tellement préoccupés qu'ils sont incapables de se détendre et de laisser place à un fonctionnement sexuel adéquat. Dans ce cas, il est presque certain qu'ils auront à faire face à un problème d'érection. Commence alors un cycle dans lequel l'attente de l'échec ou la peur de l'échec entraîne l'échec. À la longue, un problème sérieux d'impuissance peut se développer.

Dans d'autres cas, l'impuissance peut résulter d'un problème d'éjaculation précoce qui n'a pas été réglé. Tout comme les couples peuvent devenir obsédés par un épisode de dysfonction érectile, ils peuvent aussi être préoccupés par leur éjaculation trop rapide et la peur de ne pouvoir satisfaire un partenaire féminin. Être préoccupé par ce problème ou tout autre, tout en ayant des activités sexuelles, peut faire en sorte que les partenaires prennent un rôle de spectateur. Ils observent leur performance sexuelle, ce qui également assure presque toujours un échec et une performance inadéquate.

Une autre cause fréquente de la dysfonction érectile est la relation matrimoniale. Le couple se dispute ou est en désaccord à un point tel que les partenaires deviennent indifférents l'un vis-à-vis de l'autre et ne peuvent avoir une performance sexuelle aussi parfaite qu'ils le désireraient. En d'autres termes, leurs désaccords dans d'autres secteurs de leur vie débordent sur leur vie sexuelle et engendrent une implication positive dans leurs activités sexuelles.

Les causes de la dysfonction érectile ne sont pas toujours faciles à déterminer. Peu importe la cause, l'impuissance, qu'elle soit primaire ou secondaire, nécessite généralement le recours à une aide professionnelle. À l'exception des cas où la relation matrimoniale est la cause des problèmes sexuels, les résultats sont généralement très bons, surtout si le traitement est effectué par un thérapeute sexuel habile, bien formé, et ayant de l'expérience dans les méthodes behaviorales de traitement des problèmes sexuels.

Dysfonction orgasmique primaire

La dysfonction orgasmique primaire réfère à la condition par laquelle une femme au cours de sa vie n'a jamais expérimenté l'orgasme (sauf peut-être durant son sommeil). Ce problème est assez fréquent de nos jours, particulièrement chez les jeunes femmes, chez celles qui en sont à leur première relation sexuelle et chez celles qui n'ont pas déjà eu un partenaire sexuel régulier. Il est maintenant généralement accepté que toutes les femmes ont la capacité d'atteindre l'orgasme régulièrement. Cependant, cette habileté doit être apprise par l'homme. Certaines femmes apprennent à expérimenter l'orgasme très facilement. Par contre, d'autres requièrent plus de temps et d'expérience. Enfin, d'autres éprouvent beaucoup de difficulté à acquérir cette habileté. Un des facteurs qui semblent reliés à ce problème consiste dans des antécédents religieux importants, antécédents souvent associés à des parents conservateurs sur le plan sexuel qui enseignaient à leurs enfants à ne pas penser au sexe ou aux organes génitaux ni en parler. Par ailleurs il semble que des démonstrations d'affection et de chaleur entre les parents vont permettre à une femme de développer l'habileté de jouir des relations sexuelles à l'âge adulte.

Peu importe la cause des difficultés à parvenir à l'orgasme, ce problème est relativement simple à traiter. Masters et Johnson et d'autres spécialistes en sexualité comme Joseph LoPiccolo et ses collaborateurs ont développé des traitements très efficaces, qui furent appliqués avec succès en groupes dans lesquels environ quatre couples participaient à la thérapie ou dans des groupes dans lesquels seulement les femmes étaient en traitement. Dans les deux cas, les sessions thérapeutiques ont pour but d'exposer le problème et de présenter l'information nécessaire aux femmes ou aux couples. Le traitement principal, cependant, a lieu dans l'intimité du domicile du couple. Il faut recourir à certains exercices pour apprendre à réagir sexuellement.

Cette façon générale d'aborder le traitement a été tellement efficace que plusieurs sont d'avis que la présence d'un thérapeute n'est pas nécessaire. On a aussi écrit divers volumes pour aider les femmes et leurs partenaires à surmonter la dysfonction orgasmique primaire sans qu'il soit nécessaire d'avoir recours à des scéances de traitement très coûteuses. Cette approche semble valable mais, à notre connaissance, il n'y a pas d'études contrôlées qui permettent de vérifier l'efficacité des apprentissages résultant de l'utilisation de ces ouvrages. Pour les femmes qui n'ont jamais appris à expérimenter l'orgasme, l'auto-traitement à l'aide de l'un de ces volumes peut être intéressant. En outre, ce traitement peut être utilisé en même temps que celui de l'éjaculation précoce. Les deux ouvrages avec lesquels nous sommes le plus familiers et que nous recommandons aux femmes qui envisagent un programme d'auto-traitement sont:

Barbach, L.G. For yourself, *The Fulfillment of Female Sexuality,* Doubleday, New York, 1975.

Heiman, J., LoPiccolo, L. and LoPiccolo, J., *Becoming Orgasmic: a Sexual Growth Program for Women*,* Englewood Cliffs, N.Y., Prentice-Hall, 1977.

Dysfonction orgasmique secondaire

Une femme aux prises avec une dysfonction orgasmique secondaire peut parvenir à l'orgasme dans certaines conditions, mais non dans d'autres. Il peut aussi s'agir d'une personne qui a déjà été en mesure de parvenir à l'orgasme dans le passé, mais qui ne peut plus y arriver maintenant. Dans la littérature on a fait référence à ce problème en parlant de la dysfonction orgasmique situationnelle. Ce terme recouvre un grand nombre de situations-problèmes pour lesquelles il y a de nombreuses causes spécifiques et diverses approches thérapeutiques.

Un type commun de dysfonction orgasmique secondaire se produit lorsque la femme est capable d'atteindre l'orgasme à travers une sorte de stimulation autre que le rapport sexuel (coït). De façon générale, cette femme est capable de parvenir à l'orgasme par la mas-

210

turbation ou par la stimulation manuelle ou orale, mais ne peut passer du plateau ** à l'orgasme durant le coït. Dans certains cas, cette situation est attribuable au manque de préliminaires appropriés qui maintient le début du rapport sexuel (coït) à un niveau d'excitation trop bas. Dans d'autres cas, il y a eu des préliminaires adéquats, mais la femme semble incapable de passer d'un haut niveau de stimulation à l'orgasme durant le coït.

Selon certaines thérapeutes, des différences physiologiques dans le corps nuisent à la stimulation du clitoris durant le coït. Le clitoris est, chez la femme, le principal centre de stimulation conduisant à l'excitation et à l'orgasme. Ces thérapeutes suggèrent que ces femmes ne devraient pas nécessairement s'attendre à être orgasmiques par la stimulation du pénis seulement, mais elles devraient également ajouter la stimulation manuelle de la région clitoridienne. D'autres thérapeutes sont plutôt d'avis que la plupart des femmes peuvent parvenir à l'orgasme par le coït sans stimulation manuelle additionnelle, mais qu'elles n'ont pas appris comment atteindre ce but. Des méthodes ont été proposées dans la littérature pour réaliser cet objectif, mais elles ne se sont pas révélées efficaces pour tous les sujets.

Un type similaire de dysfonction orgasmique secondaire se produit lorsque la femme peut parvenir à l'orgasme seulement dans telle situation ou telle position — comme si elle est étendue sur le dos, ses jambes pliées aux genoux, et stimulant ses lèvres avec sa main gauche. Ce genre de limite dans l'activité sexuelle se produit lorsque la femme s'est souvent masturbée de cette façon. Elle n'a donc pu apprendre différents moyens de parvenir à l'orgasme et durant un certain temps s'est limitée à un pattern de stimulation unique. Ce genre de dysfonction peut être facilement traité, mais le fait de rendre cette femme orgasmique durant le coït est plus problématique.

Un type différent et plus problématique de dysfonction orgasmique secondaire concerne la femme qui autrefois était orgasmique durant le coït mais qui ne l'est plus. Cela peut résulter de problèmes physiques et un examen gynécologique approfondi devrait précéder le traitement. Le médecin devrait alors être au courant du problème sexuel et des raisons motivant l'examen. Cependant, ce peut être aussi la résultante d'une stimulation sexuelle inadéquate provenant de nombreux facteurs: incapacité de la femme de se concevoir comme un être sexuel, la routine qui s'installe dans un couple, une sorte d'activité sexuelle non excitante, ou l'incapacité de l'homme à fournir une stimulation sexuelle adéquate.

Une raison plus problématique, et peut-être plus fréquente de ce type de dysfonction secondaire réside dans une détérioration de la relation de couple. La réponse sexuelle féminine (comme celle de l'homme) est souvent dépendante de ses émotions de chaleur, d'affection et d'amour; aussi lorsque ces émotions sont absentes, la femme sera moins portée à répondre sexuellement. Cette dysfonction secondaire basée sur une détérioration de la relation de couple est difficile à résoudre et nécessite généralement un traitement de toute la relation. Ce genre d'intervention pourra résoudre avec succès ce problème.

L'incompétence éjaculatoire (éjaculation retardée)

L'incompétence éjaculatoire (ou éjaculation retardée) est un problème qui se situe à l'opposé de l'éjaculation précoce. L'homme présentant ce problème peut avoir une érection complète et s'engager dans une relation sexuelle avec des mouvements très intenses durant des périodes de 30 ou 60 minutes, mais ne peut éjaculer dans le vagin. Comme c'est le cas pour l'éjaculation précoce, cette dysfonction peut être conceptualisée comme apprise, comme une habitude, comme une façon de répondre à une situation sexuelle.

Personne ne peut vraiment établir la cause de ce problème. Toutefois, les thérapeutes pensent qu'il résulte d'une éducation morale et religieuse dans laquelle le sexe est considéré comme immoral et malpropre ou servant exclusivement à des fins de procréation. Ce peut aussi être l'effet de la peur chez celui qui ne veut pas que sa partenaire devienne enceinte. Si des contraceptifs ne peuvent être utilisés ou ne le sont pas, l'homme peut prévenir la conception en évitant d'éjaculer dans le vagin. Dans d'autres cas, l'incapacité d'éjaculer durant les rapports sexuels semble être fonction d'un dégoût pour une partenaire ou un manque d'intérêt pour elle. Il se peut aussi que l'incompétence éjaculatoire résulte d'un trauma psychologique. Masters et Johnson citent comme exemple un homme qui découvrit par hasard que sa femme avait des rapports sexuels avec un autre homme. Subséquemment, il trouva que le souvenir de cette activité l'empêchait de parvenir à l'orgasme durant la relation sexuelle avec elle.

Il y a une technologie thérapeutique efficace pour cette dysfonction, surtout pour les cas où on n'observe pas d'incompatibilité dans la relation de couple. Le traitement devrait être fait par un thérapeute compétent.

Le vaginisme

Le vaginisme est un problème relativement fréquent dans lequel les muscles autour de l'ouverture du vagin se contractent spasmodiquement, empêchant la pénétration du vagin par le pénis. Les contractions spasmodiques se produisent de façon involontaire en réponse à la pénétration. Le vaginisme peut être associé à une orthodoxie religieuse extrême, avec une dysfonction sexuelle masculine ou avec un traumatisme sexuel comme le viol. Dans quelques cas, les contractions du muscle sont assez importantes et régulières pour empêcher des tentatives répétées de pénétration durant des années.

Heureusement, il existe des traitements très efficaces pour ce problème. Si une femme pense présenter un problème de vaginisme, elle devrait être examinée par un gynécologue qui, s'il confirme ce diagnostic, pourra suggérer un traitement.

* Ce livre est aussi disponible en français sous le titre *Orgasme* publié chez Quebecor.

** Niveau d'excitation élevé précédant l'orgasme.

Appendice

COMMENT TROUVER
UN BON THÉRAPEUTE SEXUEL

Les approches en thérapie sexuelle

Les thérapeutes sexuels ne sont pas tous semblables. Ils différent entre eux. Certains ont une formation médicale alors que d'autres sont spécialisés en psychologie clinique. Certains travaillent en cothérapie, c'est-à-dire en équipes constituées d'un thérapeute masculin et d'un thérapeute féminin. Certains exigent des honoraires élevés alors que d'autres se contentent d'un tarif proportionnel à la capacité de payer du client.

Toutes ces différences peuvent avoir leur importance pour vous. Cependant, **la plus importante consiste dans l'approche qu'ils utilisent dans le processus de changement du comportement sexuel.** Vous devrez être attentif à ces différences quand vient le temps de choisir un thérapeute, et savoir qu'il existe diverses «écoles» de psychothérapie, d'où diverses croyances ou théories sur la nature des problèmes sexuels. Chaque ensemble de croyances entraîne un type particulier de thérapie, et la procédure qu'utilisera votre thérapeute sera guidée par ses croyances au sujet des problèmes humains.

Beaucoup de désaccords ont surgi sur la «meilleure» approche des problèmes humains. Plusieurs ouvrages et articles scientifiques paraissent chaque année sur ce sujet. Cependant, **dans le domaine des problèmes sexuels, il existe un accord beaucoup plus grand sur la meilleure approche.** Avant Masters et Johnson et leurs travaux de pionniers dans le domaine des thérapies sexuelles, la plupart des problèmes du genre étaient considérés comme très difficiles à traiter. La psychanalyse et d'autres thérapies traditionnelles auxquelles on avait eu recours pour traiter beaucoup d'autres problèmes se sont révélées d'une valeur limitée pour le traitement des problèmes sexuels.

À partir des travaux de Masters et Johnson, on a élaboré de nouvelles approches du traitement des problèmes sexuels qui sont très efficaces. Les thérapeutes qui utilisent ces approches sont guidés par la croyance que les problèmes sexuels humains sont le fruit de comportements appris où la résultante de la difficulté de s'initier à des habiletés sexuelles plus appropriées. Ces thérapeutes vont vous aider à résoudre les problèmes spécifiques auxquels vous êtes confrontés. Ils ne verront pas ces problèmes comme des signes ou des symptômes de problèmes de personnalité. Les thérapeutes qui utilisent cette approche vont vous aider à désapprendre des comportements sexuels problématiques et vous apprendre de nouveaux comportements sexuels. En plus d'avoir des rencontres régulières avec vous, ces thérapeutes vous inciteront à pratiquer de nouveaux comportements à la maison dans le but de surmonter vos problèmes habituels.

Nous recommandons alors que vous tentiez de trouver un thérapeute qui **applique aux problèmes sexuels une approche basée sur l'apprentissage.** La plupart de ces thérapeutes s'appuient sur les travaux de Masters et Johnson. Cependant, il y a eu plusieurs innovations en thérapie sexuelle depuis les travaux des maîtres. (Le présent ouvrage est un exemple de ces innovations.) Aussi, vous ne recevrez pas de votre thérapeute exactement le même traitement que celui décrit à l'origine par Masters et Johnson. Cependant, cela est à votre avantage puisque la plupart des innovations avaient pour but de rendre le traitement plus efficace. À notre avis, vous aurez probablement le meilleur traitement si vous trouvez un thérapeute: 1) qui s'inspire de l'approche de l'apprentissage et l'applique aux problèmes sexuels; 2) qui connaît l'histoire de la thérapie sexuelle et, particulièrement, les travaux de Masters et Johnson; 3) qui connaît les développements dans le domaine de la thérapie sexuelle survenus dans le passé ou actuellement.

Où trouver un thérapeute sexuel?*

Trouver le thérapeute approprié est toujours difficile. Si vous ne connaissez pas de thérapeute, voici quelques suggestions:

1) En premier, en faisant votre enquête, précisez toujours que vous voulez rencontrer un professionnel qui applique aux problèmes sexuels des méthodes basées sur la psychologie de l'apprentissage. Souvent, ce genre de

---

À cause des différences locales, nous avons modifié le texte américain pour l'adapter à la situation québécoise.

professionnel s'appelle aussi un thérapeute behavioriste ou un spécialiste en modification du comportement.

2) Votre médecin peut connaître un thérapeute. Les spécialistes en obstétrique et en gynécologie sont susceptibles de connaître des thérapeutes sexuels dans votre région. Toutefois, tous les médecins ne sont pas intéressés à répondre à vos questions concernant la thérapie sexuelle. Si votre médecin ne peut vous être utile à ce sujet, voici d'autres endroits où vous pourrez obtenir de l'information.

3) Vous pouvez communiquer avec un Centre local de service communautaire (CLSC)** ou avec un département de psychologie, de psychiatrie ou de thérapie behaviorale dans un hôpital. Les CLSC et les hôpitaux sont susceptibles de vous offrir gratuitement des services spécialisés en thérapie sexuelle.

4) Vous pouvez également, si vous vivez près d'un centre universitaire, communiquer avec les départements de psychologie. Vous trouverez la référence dans l'annuaire du téléphone, sinon en communiquant directement avec la centrale téléphonique de cette université. Parfois, ces universités possèdent un centre de consultation où des étudiants offrent au public, gratuitement, ou pour une somme modique, des services de consultation.

5) Vous pouvez aussi demander de l'information à la Corporation professionnelle des psychologues du Québec ou à l'Association des psychiatres du Québec (ou aux organismes équivalents dans votre province ou votre pays). Ils pourront vous donner probablement une liste de consultants dans ce domaine.

**Ce type de centre se rencontre au Québec, mais si vous habitez une autre province ou un autre pays vous trouverez probablement un organisme communautaire similaire.*

6) Certains professionnels (avocats, prêtres, etc.) pourront peut-être aussi vous orienter dans vos recherches.

7) Finalement, vous pouvez tenter de trouver dans l'annuaire du téléphone la référence à un thérapeute approprié. Cependant, cela peut être difficile pour deux raisons. Premièrement, parce que l'annuaire ne précise pas toujours le champ de spécialisation du thérapeute et, deuxièmement, parce que l'annuaire ne précise pas s'il s'agit d'un professionnel reconnu ou d'un charlatan. Au Québec, un professionnel reconnu doit être membre d'une corporation professionnelle. Vous pouvez toujours exiger que ce professionnel vous montre le certificat établissant son appartenance à une corporation ou vous pouvez téléphoner directement aux corporations pour vérifier si le professionnel est effectivement membre de cette corporation. Peu importe le type de professionnel que vous choisirez, assurez-vous qu'il soit membre d'une corporation professionnelle ou d'un organisme équivalent, si vous habitez à l'extérieur du Québec.

Comment contacter un thérapeute potentiel

Lorsque vous avez le nom d'un thérapeute, vous devez prendre l'initiative de le contacter. Cela peut vous énerver ou vous faire peur. Aussi, il peut être utile de savoir à peu près ce qui se passera alors.

Premièrement, vous devez contacter le thérapeute par téléphone. Les gens ne se présentent pas directement chez un thérapeute. Lorsque vous appellerez, vous parlerez tout d'abord à un ou une réceptionniste. Demandez alors à parler à ce thérapeute ou à la personne susceptible de faire les entrevues initiales avec des clients éventuels. Soyez persuasifs en demandant de parler à quelqu'un connaissant bien les théories et les méthodes de traitement offertes.

Lorsque vous parlerez au thérapeute, exposez-lui votre problème et vos buts thérapeutiques de façon aussi spécifique que possible. Souvent, il est difficile pour des gens de procéder ainsi, surtout lorsqu'il s'agit de problèmes sexuels. Cependant, il est très important que le thérapeute comprenne **quel est votre problème et l'objectif que vous désirez atteindre durant la thérapie.**

Lorsque vous aurez décrit vos problèmes et exposé votre objectif, informez-vous du genre de traitement que dispense le thérapeute. Demandez-lui quelle est son approche théorique, quel genre de formation il a reçu, quelle expérience il a, ce que l'on attendra de vous durant le traitement, etc. Vous pouvez aussi demander toute autre question jugée pertinente (le coût du traitement). Si vous trouvez un thérapeute compétent, vous apprendrez possiblement qu'il a une liste d'attente. Vous pourrez attendre jusqu'à six mois ou un an avant d'entreprendre le traitement. Cette situation est embarrassante mais c'est quelque chose que vous devez prévoir.

Trouver un bon thérapeute n'est donc pas facile. Vous devez savoir ce que vous voulez. En résumé, vous devrez connaître l'objectif que vous désirez atteindre. Vous devrez découvrir les ressources locales et interroger votre thérapeute éventuel pour être certain qu'il peut vous offrir les services requis. Tous ces efforts seront récompensés si vous trouvez la personne qui peut vous aider.

BIBLIOGRAPHIE

Annon. J., *The Behavioral Treatment of Sexual Problems, volume 1: Brief Therapy,* Enabling Systems, Honolulu, 1974.

Kinsey, A.C., Pomeroy, W.B., and Martin, Clyde E., *Sexual Behavior in the Human Male.* W.B. Saunders, Philadelphia, 1948.

LoPiccolo, J., and Lobitz, W.C. «The Role of Masturbation in the Treatment of Orgasmic Dysfunction», *Archives of Sexual Behavior,* 1972, 2, pp. 163-71.

Masters, W.H., and Johnson, V.E., *Les réactions sexuelles,* Laffont, Paris, 1968.

Masters, W.H., and Johnson, V.E., *Les mésententes sexuelles et leur traitement,* Laffont, Paris, 1971.

Semans, J.H. «Premature Ejaculation: a New Approach», *Southern Medical Journal,* 1956, 49, pp. 353-57.

Zilbergeld, B. «Group Treatment of Sexual Dysfunction in Men Without Partners», *Journal of Sex and Marital Therapy,* 1975, 1, pp. 207-14.

On peut aussi consulter la courte bibliographie présentée à la fin du chapitre 20.

Si vous décidez de vous servir de ce volume parce que vous avez un problème d'éjaculation précoce, nous aimerions que vous complétiez le bref questionnaire suivant. Découpez la page qui suit et faites-la parvenir à l'adresse suivante:

Docteur Gilles Trudel, D.Ps.
Département de psychologie
Université du Québec à Montréal
Case postale 8888, Succursale «A»
Montréal (Québec)
H3C 3P8

Vous n'avez pas à vous identifier. C'est donc tout à fait confidentiel. Votre collaboration nous aidera à poursuivre nos recherches dans ce domaine. Répondez aux questions A, B et C avant d'avoir complété les exercices prescrits au chapitre 6 et répondez aux questions D, E et F après avoir complété tous les exercices des chapitres 6 à 18.

Questionnaire

A) Information sur le couple
   1. Âge de l'homme   —
   2. Âge de la femme   —
   3. Durée de la relation ou du mariage
   (en années)   —
   4. Nombre d'années de scolarité de l'homme   —
   5. Nombre d'années de scolarité de la femme   —

B) Information sur le problème
   Depuis combien d'années avez-vous un problème d'é-
   jaculation précoce?   —

C) Avant de mettre en pratique les méthodes suggérées
   dans ce volume, veuillez procéder au test suivant. Prenez votre montre ou votre chronomètre et calculez en
   secondes l'intervalle entre la pénétration du pénis
   dans le vagin et l'éjaculation

              Intervalle en secondes   —

D) Après avoir lu le texte et complété le traitement,
   c'est-à-dire tous les exercices prescrits dans ce volume, procédez encore une fois au même test en vous
   servant d'une montre ou d'un chronomètre

              Intervalle en secondes   —

E) Combien de semaines a duré le traitement (le temps pris pour faire tous les exercices prescrits dans ce volume)?

____

F) Avez-vous l'impression que ce traitement est efficace?

Oui ____ Non ____

G) Est-ce que votre partenaire ou votre épouse parvient plus facilement à l'orgasme au cours de la pénétration depuis la fin du traitement?

Oui ____ Non ____

H) Avez-vous complété le traitement uniquement en suivant les exercices décrits dans ce livre ou avez-vous demandé la collaboration d'une autre personne (conseiller, psychologue, parent, ami, etc.)? Lequel (spécifier le type de personne)

Oui ____ Non ____

IMPRIMERIE
L'ÉCLAIREUR
BEAUCEVILLE
10757